体育会系

日本を蝕む病

サンドラ・ヘフェリン

光文社新書

はじめに　なぜ今、「体育会系」が問題なのか

パワハラ、セクハラ、イジメ、過重労働…職場や学校、バイト、スポーツ界など日本のあらゆる組織で頻発する問題は、「ブラック」という言葉で表されます。

学校での長時間勤務が原因で精神を病み、仕事をやめざるを得ない先生のことがニュースになったり、過労が原因で社員が自殺をしたことが発覚したりするたびに、世間ではそれを防ぐためにはどうすればいいかが議論されます。これまで24時間営業だったコンビニが一部ですが深夜には閉まるようになったり、２０１９年４月からは年に5日の有休をとることが法律で義務化されたり、もうすぐパワハラ防止も義務化されるなど、何も対策がとられていないわけではありません。にもかかわらず、その隙間をすり抜けるように何度も同じような事件が起こり、「なぜ、当事者の苦しみに周囲は気づけなかったのか」「二度とこういうことが繰り返されてはならない」といった同じようなフレーズが連呼されます。

典型例の一つが小・中学校のピラミッドや組体操です。日本スポーツ振興センターが公表したデータによると、日本の学校で行われている組体操での事故は年間８０００件を超えており、１９６９年以降９人が死亡、障害が残った子どもの数は92名です。高度なテクニックが必要である「移動ピラミッド」（ピラミッドを作りながら全員で移動する）に関しては、近年では広島で２０１６年に死亡事故が起きています。そして同年３月に、スポーツ庁が「組体操等による事故の防止について」という通知を出したのにもかかわらず、その後、ピラミッド６段以上の実施校数はほとんど変化していません。[*1]

日本スポーツ振興センター（独立行政法人）の文書「組体操等による事故の防止について」（スポーツ庁が全国の教育委員会などに送付した「事務連絡」）によると、11〜14年の３年間で「年間８０００件」以上もの怪我が発生したことが分かっています。つまり、合計で約２４０００件もの事故が起きたということです。組体操やピラミッドは、小学校のみならず中学校の運動会でも盛んですが、それに伴う「怪我」に関しては、73％（６３００件）が「小学校」で起きています。

69年から見てみると、今まで死亡事故が９件、後遺症で障害が生じた人は92件です。死亡事故の中には１ｍの高さから転落したケースが２件あり、「練習中の突然死」というものまであります。

その危険性が指摘されているのに、相も変わらず運動会ではピラミッドが行われるのはなぜか。ブラック労働にも当てはまることですが、健康や命のリスクを伴い、合理的に考えると全く理解不能なことが、ニッポンの学校や会社ではごく普通に行われ、「日常化」してしまっています。なぜこうした事態が長年にわたって放置され続けるのか。

私はその原因を、「体育会系思考」と名付けます。それは戦後ずっと、日本列島に蔓延し続けているのです。

体育会系の考え方の基本は「やればできる」というもの。欧米にも、「やればできる」という思考は存在するのですが、それはどちらかというと自分自身に対して、あくまでも優しく「私はできる」と言い聞かせるような行為です。「やればできる」は欧米の文化ではいわゆる「ポジティブ・シンキング」の一環であり、人生を明るくするためのものです。

ところが日本の「やればできる」は、学校や会社などの組織がその一員（つまりは生徒や社員）に命令するものです。つまり立場が「上の人」が「下の人」に対して強制していると

＊1 https://news.yahoo.co.jp/byline/ryouchida/20181009-00099824/

ころが、欧米との大きな違いです。

ニッポン型の「やればできる」は生ぬるいものではありません。もうとにかく外的な要素、寒いだとか眠たいだとか、周りの人が意地悪だとか、そういった状況を完全に無視して「本人にやる気さえあれば、どんな状況でも人は目標を成し遂げられるはず」といった、なんだか先の大戦を思い出させるような思考が今なお堂々とまかり通っているのです。ちなみに、私がこの手の発言をすると、「そんなことはない。最近は『ゆとり』や『さとり』世代の登場で日本は生ぬるくなっている」という反論やお叱りを受けることがあります。しかし、欧米の人々と接すると分かることですが、彼らの生き方は日本でいう「ゆとり世代」そのものなのです。私のようにドイツで育った人から見ると、日本社会は今でも体育会系的な要素は濃厚なのです。

確かに近年の日本では、昭和の時代に見られた「頭にハチマキを巻いて頑張る」というような「分かりやすい体育会系」は少なくなっています。しかしそれはあくまで見た目上そうなのであって、人々の意識には「根性論に基づいた考え方」がけっこう残っています。日本では、「物事を成し遂げられないのは本人の努力が足りない。周囲の期待に応えられないのはワガママである」といった考え方をする人が意外と多いのです。

ブラックな現状を法律や社内の規定を変えて「外面上」直しても、人々の「中」にある考え方は「そのまま」だから悲劇が繰り返されるのではないか…。私は日本で暮らしていくうちに、そう確信するようになりました。

「甘ったれるな」「周りに迷惑がかからないように頑張れ」「立場を自覚しろ」という考え方の一番大きな問題は、それが時に人の人格を壊し、人生そのものを狂わせてしまうことです。たとえば「立場を自覚しろ」という考え方は、「その地位にふさわしい『頑張り』をして当然だ」という要求につながります。

この本を読んでいるあなたが女性ならば、とくに注意が必要です。日本社会では、女性であるだけで、気づけば周りから様々な「頑張り」が求められるからです。自分はそんなつもりがなくても、家族から、職場の同僚から、そして政府から「フルタイムで働きながら、子どもを何人も産み、家事と育児も完璧にこなし、老親の介護もして、いつも笑顔でいること」を求められていたりします。当然ながら、そんな要求を真に受けていては、女性は疲弊してしまいます。疲労しないためには女性自身も「なんでもこなせるはず」と自分に負担を強いる思考はやめ、周囲の声には耳を貸さないことが大切です。日本の働く既婚女性の睡眠時間は先進国の中で一番少ないのです。

日本で母親が「ワンオペ育児」になりやすいのは、夫が仕事で忙しいという構造上の問題も大きいのですが、それ以上に世間で「女性は育児ぐらい一人でできるはず」という女性に対する根性論が横行していることが主たる原因です。

周りに期待された結果、自分もギリギリまで頑張ってしまい、やがて疲労のあまり体調を崩し、精根尽き果ててしまった…なんてことにならないためにも、自分で自分を守るしかありません。

本書には、人生の様々な節目で、あなたが周囲に広がる理不尽な根性論に押しつぶされないための、コツやヒントを盛り込みました。

目次

第2章　サンドラが見たヘンな職場

第3章　女性に冷た過ぎるこの社会

第4章 外国人がカイシャから逃げていく

第5章 「世代論」から抜け出せない人々

第1章　学校は「ブラック」の始まり

幼稚園選びから始めよ

人生最初の「見極め」は幼稚園から。とはいえ、幼稚園に入る子は3～4歳児ですから、本人ではなく親が判断しなければなりません。

まず、大人から見て「園児がみんなビシッとしていて素晴らしい」と思うような幼稚園は避けたほうが良いでしょう。

この年代の子どもは「好きな時に好きなことをしゃべる」のが普通です。それが一切無駄口をたたかず、全員が列にサッと並んだり、子どもの声がやけに「とおる大きな声」だったり、そんな声で一斉に挨拶をしていたりしたら、危険信号です。子どもの「個」よりも「全体」が優先されている可能性が高く、その幼稚園は避けたほうが良いでしょう。みんながきれいに並んだり声をそろえて挨拶していたりすると、一見キチンとしているように感じますし、「子どもなのにすごい！」と思ってしまうこともあります。でも騙されてはいけません。わが子を思うなら、「ビシッとしていて気持ちのいい」幼稚園よりも、あくまでも子どもが楽しみながら通えるところのほうが良いのは言うまでもありません。自分に置き換えて考えてみると分かりやすいでしょう。あなたは、毎日ビシッと朝礼をして目標を大声で叫ばされるような会社で働きたいと思いますか。もしそう思われる場合は、残念ながらあなたは既に体育会系的な根性論に毒されています。

幼稚園に話を戻しましょう。たとえば、家で暗記してきたものを園児一同で延々と合唱していたりする場合は「ブラックさ」の程度でいうとかなりヤバいです。一時期、世間を騒がせていた森友学園が典型です。あの学園は「政治とお金がらみ」でずいぶん話題になりましたが、それ以前に、私はテレビ画面から伝わってくる学園の教育に疑問を持ちました。園児の行動が不自然なほどビシッとしていましたし、「教育勅語」をあの年齢の子どもたちが暗記させられ合唱させられているという不気味さ。さらに気持ち悪かったのは、同学園が悪い意味で世に知れ渡る前、その教育を「素晴らしい」と絶賛していた政治家夫人や著名人がいたことです。そこに深い闇を感じます。

ちなみにその「愛国的」な教育の中で、隣国である韓国の悪口を吹き込まれることもあったようです。そのため、家族旅行で韓国へ行く時に身体の具合が悪くなった園児もいたといいます。他国の悪口を子どもに吹き込むなど言語道断です。

とにかく懸念されるべきは、4～5歳の子どもに対して軍隊のような教育を行っていたことです。親の側からすれば「あの幼稚園に入れていたら、子どもがいつの間にかビシッとしていた」とか、「大人も言えないようなすごい内容のもの（たとえば「教育勅語」）を覚えていた」とか「口答えをしなくなった」などの「効果」を喜ぶ人もいたのでしょう。しかし、「子どもたちの足並みがビシッとそろっている」だとか「威勢のいい挨拶をしている」だとか「素晴らしい行進をしている」などの大人が感心することの背景には「訓練型の教育」があるということを忘れてはいけません。

今、世界の先進国の学校では「子どもの自主性を大事にすること」が主流になっています。先生に従順な生徒を養うスタイルはもちろん、スパルタ的な指導もなくなりました。

しかしニッポンでは、ひと昔前に戻ったかのような「暗記型の教育」、そして「先生の言ったことに従うだけのスパルタ教育」を施していた森友学園のような幼稚園が一時期とはいえ親御さんや著名人などに支持されていた事実がある以上、日本は世界の先進国とは真逆の方向に向かっていると言われても仕方ないでしょう。

なぜ、「ブラックな幼稚園」に出会わないことを強調するかというと、子どもの精神はもろいからです。ここでのトラウマを一生引きずるかもしれません。あるいは過剰に適応してしまえば、将来、親近感から進んでブラックな会社に入ってしまうかもしれません。わが子に幸せな人生を歩ませるためにも、幼少期から「ブラックな根性論」に触れさせないことが、親としての務めではないでしょうか。

それから大事なこと。私自身には子どもがいませんが、だからといって、この問題と無関

係ではありません。なぜなら、ブラックな教育を受けた子どもが増えると、数十年後にはトラウマから「心に闇を抱えた人」、または過剰適応した結果、根性論で他人にムリを強いる人が増えるわけですから…。

組体操があるか事前に確認

次に小学校を見てみましょう。私立の場合は、多くの親が受験前に学校の教育理念や様々な情報を得ています。その際に、学校の主張を自分なりに解釈してみて、「その裏側にあるもの」を分析するといいかもしれません。

たとえば「良妻賢母」という言葉こそ使っていなくても、似たようなことを女子教育の概念として挙げている学校の場合、わが娘にどのような影響があり得るかをじっくり考えてみる。学校が発信している情報を、色んな方面から見てみることです。

ただし公立の場合は見極めが少し難しいかもしれません。とはいえ、全部食べ切るまで遊ばせないなど、給食で子どもに過剰な完食指導をしているところは避けるに越したことはありません。全員に決まった量を食べさせるという指導は既に他の先進国では見られなくなった教育です。日本の学校は音楽の授業も含め他の先進国と比べるとレベルが高いですが、たくさん知識が得られても、学校での理不尽な指導により子どもが精神を病んでしまっては本末転倒です。

「イジメ」に関しては残念ながら、わが子が入るクラスにどんな児童がいるのかどうかを予《あらかじ》め知ることは不可能です。そのため、何か事が起きそうな時に「その都度」対応していくしかありません。一方、「ある程度予見可能」なのが、その学校の運動会などの活動です。たとえば過去に定期的に「組体操」（ピラミッド）をやっていて、今なお校長が「組体操、組体操」と言っているような小学校は要注意。

２０１５年9月には、大阪府八尾市の市立大正中学校の運動会で計１５７人が参加の10段（!）の「人間ピラミッド」が崩れ、１人が骨折、他の生徒も５人が軽傷ではあるものの怪我を負う事故が発生しています。市教委が、市内の全小中学校を対象に調査をしたところ、２００６年〜15年の10年間に36校で計１３９人が組体操の練習や本番中に骨折していたことが判明しました。

平成16年にスポーツ庁が「安全にできない場合は実施を見合わせるべきだ」という通知を出していますが、結局のところ「やるかやらないか」の判断は各学校に委ねられています。後述するように今までたくさんの事故が起きているにもかかわらず、「組体操は全国で１０

０％中止」という結果にはならず、地域や学校によって「現場に任されている」のが実情です。

わが子がいつの間にか組体操をやらされて大怪我をした、なんてことになってからでは遅いので、子どもが小学校に入る前にできれば形に残るやり方で「組体操をやっているか」を学校側に問い合わせたほうがいいでしょう。

やっている場合は、できれば他の学校に入れさせること、それができなければ、将来の転校も視野に入れて他の学校の情報のリサーチをするのもいいでしょう。親には「イザとなったら転校」ぐらいの心構えが必要かもしれません。メールかファックスで証拠を残すのが一番ですが、難しい場合は電話で問い合わせて回答を録音しておきましょう。これもわが子のため、後に学校に「そんなことは言っていない」と言われないためです。

物騒なことを書くようですが、組体操やピラミッドをやっている子どもは、いつ下半身不随になってもおかしくありません。また、本人の身体的なバランス能力が優れていれば大丈夫というわけでもなく、事故が起こった時に当たり所が悪ければ大怪我をしてしまうかもしれません。ピラミッドはなんせ人数が多いので、子ども一人では怪我しないように注意しきれないレベルです。また、「アッ」という間に崩れうるピラミッドですから、監督の先生に事故を防げる「瞬発力」があるかというと疑問です。

感動ポルノ

一人ではできないピラミッド。そう、ピラミッドこそ究極の団体競技でありチームワークが大事です。そして、まさにそこに深い闇があるといえましょう。

本番の運動会当日に、誰かに「すごい！」「子どもなのに素晴らしいチームワーク！」と思ってもらうがために子どもたちは過酷な練習を重ねます。

練習といっても身体を動かすなど健康的な練習ならいいのですが、ピラミッドの練習は、「他の児童の重さに耐える我慢」ですから、全くもって身体に良くないわけです。さらに問題なのは、児童が「組体操やりたい？」と意思確認をされないまま、命の危険も伴う実践に駆り出されることです。背が高いとか太っているからなどの体格面で勝手に判断されて、巨大ピラミッドの一番下のポジションに指定されてしまったり（下にいればいるほど上にいる人は多くなり、崩れた時に上から降ってくる人の数も多くなります）、まさに理不尽なことだらけです。「ピラミッドの構造上、体格が良い人が下の段なのは当たり前だ」という声が聞こえてきそうですが、そもそもの問題は子どもに「ノー」という選択肢がないことではないでしょうか。

ピラミッドや組体操が再三危険だと言われているにもかかわらず、その人気が根強いのは、出来上がったピラミッドを見て「感動」する大人が多いからだとか。「小さかったあの子が、お友達と一緒に毎日頑張って、みんなと力を合わせてこんなことまでできるようになったのね…（ホロッ）」といった感慨に親たちはふけるのです。これはこれで気持ちは分からなくもないのですが、目の前のピラミッドがいつ崩れて怪我人や死亡者が出るか分からないような状況で、ホロッと涙している場合なのでしょうか。私が親なら絶叫します。

こんなことを書くと、しょせん西洋人には日本人の心というものが分からないのだとお叱りを受けそうですが、わが子の成長について、もちろん欧米でも感動する親はいます。ドイツの学校にはピラミッドや組体操はありませんが、日本でいう七五三にあたるとも言える教会の行事「堅信」（ドイツ語 Firmung、自らの意思でカトリック教徒でい続けることを選ぶ思春期ぐらいの子を対象に行われる行事）で、ウルウルしている親はけっこういるのです。ドイツで行われる「堅信」はだいたい子どもが13、14歳ぐらいの年齢で、正装してすっかり大人並みに体格の良くなったわが子を見てウットリするというわけです。堅信で教会に行くと、あちらこちらから鼻をかんでいるような音が聞こえてきたりします。

「感動」は、頻度としては西洋文化圏よりもニッポンでよく見られる現象であることは確かなのですが、「子どもの成長にこみ上げてくる思い」というのはどこの国も共通しているものだと思います。ただ、学校などの教育現場で「感動」が登場する数は圧倒的にニッポンが多いです。というよりも、いたるところに「感動」なるものをねじ込んで子どもに言うことを聞かせている印象です。小学校の読書感想文では「感動しました」と書くと大人に喜ばれる傾向がありますし、とにかく感動するのはいいことで、そのためにはなんでもありという印象を受けます。

　ここまで書いて、自分がとても感じの悪い人になっていると気づきました。言い訳するわけではないのですが、実は私自身も柄に合わず「感動屋さん」だったりします。ふと目にしたネットニュースやテレビを見ながら、感動で涙がこみ上げてくることがよくあります。お涙頂戴の話にも弱いです。テレビなんかを見ていて、それらしきナレーションがあったりすると、すぐに共感してハマってしまい、気がつくと泣いています。けれども、最近はその後に「待った待った」と反省することが増えました。少し時間が経って冷静になってみると、「弱い立場の人が何かを強いられて頑張っている姿に私が感動するのって何か違う。なんでこんな美談に引っ掛かったんだろう」と自己嫌悪に陥ることもあります。それなのに、またテレビを見て似たような話があると、やはり泣いてしまいます。「感動する」って、もしかすると心も身体も気持ち良くなることだからこそ、なかなかやめられないのだと最近になって気づきました。

少し前に「感動ポルノ」という言葉がありました。「24時間テレビ」関連でよく出てきた言葉ですが、健常者が障害者に課題を強いる形で、「一生懸命になって頑張る姿を見てみんなで涙を流す」というような場面を見ると、自分も感動しながら、確かに「感動したで終わらせるべき話ではないかもしれない」と思うことがあります。そうした「感動」は必ず時間の経過とともに私の中で後味の悪いものとなります。

「自分よりも立場の弱い人が、

ムリと思われる課題に一生懸命取り組んでいる」ということに日本人は感動しがちです。でも、それこそが問題です。ピラミッドで言えば、大人が趣味として定期的に社会人や主婦などが公民館などに集まってやるのならいいと思います。それを見て感動するのも勝手です。でも子どもたちは、大人が感動したいがためにピラミッドを「やらされている」わけです。

　これは、自分自身にも言い聞かせたいことなのですが、人の苦労を見て好き勝手に感動する前に、自分で頑張って自分に感動してみたいものです。自分に感動って、歯がゆくてなかなかできるものではないし、ナルシストっぽいかもしれませんが、他人が苦労する姿に感動するよりも、よほど健全だと言えるでしょう。何よりも「他人に苦労を強いて感動する」人が自分も含めて減れば、世の中だいぶ平和になると思うのです。

　最近、私はかつて失恋した時によく通った場所を訪れて「今の自分はこんなに元気！　ここまでよく頑張った！」などと現場で一人ニヤニヤして怪しい人になっていることがあります。でも、自分に感動して完結しているので許していただきたいです。「当時の落ち込んでいた自分に今の自分の姿を見せてあげたい！」そんな気持ちになりながら、何となく「私はすごい！」という自己肯定感を持つことにも役立っている気がします。周りの人から怪しまれるかもしれませんが、みなさんもお試しを。

「子どもがやりたがっている」はウソ

「感動」の要素も手伝って「子どもたちにピラミッドをどうしてもやらせたい」と思っている大人たちがいるわけですが、そんな中、時おり耳にするのは「子どもたちが、ピラミッドをやりたいと言っていた」という発言です。

もちろん子どもたちが自ら「やりたい」と言っているケースがないわけではありませんが、これに関しては以前、ツイッターに興味深い投稿がありました（19年6月16日のツイート[*2]）

> 組体操の練習を始める前に児童・生徒に組体操の作文を書かせる理由は何でしょうか？小6の娘の担任は「子供たちは組体操やりたがってます！去年、組体操の練習を始める前に作文書いて貰ったけど、みんな組体操憧れてたからやりたい。と書いてました！」これって同意書の代わり!?

＊2　https://twitter.com/mariabanbi10/status/1140258849229639681

上記のような保護者の声を聞くと、学校側が「何かあった時」のことを考えて、「あくまでも子どもたちがやりたいと言っていた」という証拠を残しておきたかった、ととらえることもできますが、考え過ぎでしょうか。

ともかく、日本におけるピラミッドは一筋縄ではいかない問題です。大人たちは責任逃れのように「子どもがやりたいと言っていた」と言います。仮に子どもがピラミッドをやりたい、なんてひと言も言っていなくても「子どもたちのことを考えて、何かを一緒に作り上げる体験をさせてあげたかった」などと言い出す大人もいます。ここまでくるとビョーキだと言わざるを得ません。

ピラミッドで怪我をすれば大問題です。かといって怪我をしなかったら問題がないというわけではありません。実は一番の問題は、こういったピラミッドや組体操で「みんなで頑張った」「みんなでガマンをした」「みんなで辛《つら》い思いをした」という経験を共にした多くの子どもたちがやがて大人になり社会に出ていくことです。

ピラミッドに限らないことですが、ヘタをすると辛かった思い出が後に美化され、そんな人こそ過去の「成功体験」から、社会人になって滅私奉公の精神を同僚や部下に強いる傾向があります。組体操に始まるこの手の「辛いけど、みんなのために、みんなで我慢」を子どもの時に当たり前だと思ってしまうと、大人になってから会社の「ブラック度」に貢献する可能性は大きいです。一人の人間がブラックな思考をするから会社も即ブラックというわけではありませんが、「自分も子どもの頃に苦労した」ことが自慢の人が大勢集まると、ブラック企業の誕生です。

子どもの頃から持ち前の精神力や体力で全体主義的な「ブラック」を乗り越えてきた人というのは、今度は大人の世界（ニッポンでは多くの場合、それは会社です）で「良かれと思って」部下に苦労を強いる「昭和&平成セット」の根性論上司になってしまう可能性があります。こういった負の連鎖をつくらないために、はい、いますぐピラミッドはやめましょう。

ピラミッドから社会のことまで語れるのかと思われるかもしれませんが、これはある意味「一事が万事」。「ピラミッドは素晴らしい！」と感動しているような大人に囲まれて育てば、気づくと自分も人が苦労することに妙な感動を覚え、それを再生産する人になる可能性があります。そういったループにハマらないためにも目を光らせなければなりません。しつこいようですが、幼稚園から気をつけて早過ぎるなんていうことはありませんし、ピラミッドが始まる小学校においてはなおのこと注意が必要です。

親は子を守るための心の準備を

ピラミッドを語る上で避けて通れない問題。それは「同調圧力」です。校長なり担任の先生なり子どもから見て目上の人が、「みんなでピラミッドを頑張ろう！」と言えば、それは既に決定事項であり、子どもたちに反対するという選択肢はありません。大人にとっては当たり前の民主主義も子どもにとっては無に等しいわけです。大人たちは、自分たちがひと昔前（それは昭和や平成の時代）に経験したことをもとに、「これをやったら子どもにとっていいだろう」と考える傾向があるため、「体育会系的な根性論」に関しては悪循環を生みます。

それにしてもピラミッドでいざ事故が起きたら、怪我をするのは子どもなのに、本人たちに異議を唱える権利がないなんてずいぶんヘンテコな話です。だからこそ親がそんな現実を直視し、予め最悪なケースを回避するための対策をしたり（たとえば転校）、具体的なことはしないまでも、せめて心の準備をしておくと安心です。多少「うるさ型」の親になって学校や先生に疎まれても、未成年&思春期未満の子どもに関しては親が大事なところで「防波堤」になってあげないと、シゴキやイジメで精神のバランスを崩してしまうこともあります。

ピラミッドに関しては、段が多くて高いから危ないとか、低いから安全だとかという話ではありません。もちろん安全面を考えたら段を低めにしたほうが良いわけですが、そもそもピラミッドを「やらない」のが一番安全なわけです。繰り返しになりますが、「ピラミッドを何がなんでもやらせたい」大人が少なからずいることが元凶です。「感動」が重んじられるニッポンでは、「低い段」のピラミッドがいったん上手くいくと、またすぐ「今度はもっと高い段に挑戦して…」という思考になりがちで、なかなか終わりが見えません。もし学校から「ウチのピラミッドは段が低いから安全」との説明があっても、学校がピラミッドにこだわる「背景」に注目してみたほうがいいかもしれません。

前述のスポーツ庁の文書「組体操等による事故の防止について」の中で、１９６９年度以降の組体操の事故に関しては、障害見舞金が支給されたケースが92件、死亡見舞金が支給されたケースが９件もあるという事実が公表されているにもかかわらず、頑なに組体操にこだわる教育関係者や保護者がいるのは恐ろしい話です。厄介なのは、そんな人たちに悪意はなく、自分自身の人生経験から「無理だと思わず、とにかく挑戦することは素晴らしい」といったことを純粋にただただ信じていたりすることです。

要するにピラミッドをやる学校では、「幅を利かせている人」が、悪い意味で体育会系だということです。その学校には無理な頑張りを重んじる土壌があるのです。

「小学校便り」にビックリ

とはいえピラミッドや組体操に関しては、メディアなどでもたびたび話題になり問題視されていますので、近年は学校側が大々的なアピールはしていないことも多く、運動会が近づくと「どこそこの学校は組体操をやるらしい」ということを子どもの安全を心配した保護者たちがツイッターなどのＳＮＳに投稿するケースが見られます。そんな中、学校が自ら事前にパンフレットを印刷し「組体操を全面アピール」しているレアな学校もあります。この「布施小だより」[*3]には、「すべての子どもに　生きる喜びと明日をつくる力を」というキャッチフレーズのもと、大きな字で「一人ひとりが主役！·感動の第１回運動会!!」というブラックの典型のような感動の押し売り文句が載っています。

ツッコミどころ満載ですが、あえて言うなら、ピラミッドこそ協調性がもっとも重要視され「全員で」完成させるものなので、「一人ひとりが主役」であるはずがないのです。出来上がったピラミッドを見て「あの３段目の真ん中にいる子は個性的だな」などの感想を持つ人はいないでしょう。ピラミッドは「個性」などといったものとは対極にあるのです。

同パンフレットには、「一人ひとりが自分の力を精いっぱい発揮し、すばらしい演技・競技を見せてくれました。高学年は応援団や係活動にも力を発揮し、運動会をリードしてくれました。」と努力を強調しながら、ご丁寧にも子どものピラミッド写真（３段以上）を載せています。しかし今はネットのご時世、このパンフレットも例に漏れず、「２０１８年にもなって、本当にやってたんだ…」という動かぬ証拠として写真が拡散されてしまいました。

布施小学校のようにピラミッドを「こっそり」やらず写真を載せてチラシで宣伝しちゃったりするのは、やっぱりそこに学校側の主張があるのでしょう。布施小の場合は、「統合後はじめての運動会」ということなので、先生たちがはりきり過ぎたのでしょうか…。

今の世でも「連帯責任」

組体操に周囲の大人が感動するという現象は、24時間テレビの誰かが頑張って、それを見ているみんなで感動する、という演出に通ずるものがありますが、それにしても、組体操は大勢でやるものですので、練習する中で良い意味での「仲間意識」が芽生えます。問題は、

＊３　http://www.city.higashiosaka.lg.jp/school/fuse-e/resources/content/557/20180530-133928.pdf

そこに「連帯責任」というものも明らかに存在することです。

　ピラミッドの中で運動神経や身体のバランス感覚の悪い生徒がいた場合、その子が体勢を崩すと他のみんなも被害を受けることになります。しかしながら、あくまでも「みんな」が優先され、「誰かの体力不足はみんなの責任」といった雰囲気になってしまいます。

「ピラミッドや組体操によって仲間意識を培うことができる」とか「みんなで何かを築きあげるのは素晴らしい！」と言っている人はピラミッドの「成功例」だけを見ているのであり、失敗したり後遺症を負ってしまった子たちの人生のことはまるで視野に入っていません。

　まさにこのような現場が、「危険だと分かっていながら何も言い出せない大人」を作り出しているのです。何かヤバいことになりそうでも、「とりあえず我慢して声を上げない」ことが習慣化されてしまうのです。また「組織に迷惑をかけること」を過剰に問題視する姿勢が、日本で「産休や育児休暇をとる女性」や「時短で働く女性」に対して風当たりが強いことにつながっているのではないでしょうか。悲しいことにニッポンには、「産休は仕方ないけど、でもあなたは組織に迷惑をかけているよね？」という本音を持つ人は多いのです。

　日本の小学校には、組体操以外にも連帯責任を植えつける教育がなされることがあります。クラスで誰かが悪いことをしたら学級委員が叱られたり、全員が罰せられたりと、欧米の民

主主義国には今や見られない教育法が残っています。また連帯責任ではなくても、一つのミスのために全く関係のないことをやらされる（「忘れ物をしたら校庭を何周走る」みたいな教育は完全にはなくなっていない）という「時代にそぐわないスパルタ教育」もまだ行われています。

　そこで傷を負ってしまうのはもちろん、それに「なじむ」のも有害だと言えるでしょう。心に傷を負えば、不登校や引きこもりの原因になることがありますし、なじんでしまうと、それが普通になって社会に出た時にブラックな環境を当たり前と思ってしまいます。そうすると部下に対し体育会系の不条理を押し付けることになりかねません。

　子どもをそういった悪循環のスタート地点に立たせないためにも、まず親が配慮すべきです。学校などで体育会系的な根性論に呑まれそうになったら、言葉は悪いですが「逃げるが勝ち」です。ヘタに子どもに我慢させてしまった結果、不登校や長年の引きこもりになってしまっては取り返しがつきません。適当な理由をつけて転校させてしまうのも手です。もちろん「闘う」こともできますが、何かとエネルギーが必要です。いざとなれば、そろ〜りそろ〜りといなくなりましょう。

「皆勤賞」という欺瞞

子どもの「個」を無視しているものに「皆勤賞」があります。「毎日元気に学校に通うのはいいこと」を前提にしたものですが、現代の価値観に合わなくなってきていることは否めません。「休まなかった子ども」を表彰すれば、必然的に「学校を休むのは悪いこと」という価値観が子どもたちに刷りこまれてしまいます。小学校の6年間、一度も風邪をひかず、ずっと元気いっぱいの子がいることは否定しませんが、もしも風邪やインフルエンザでも無理して学校に通っているのだとしたら、それこそ問題です。皆勤賞の存在は「風邪でも無理して学校に行く」という行為を生み出すのです。

たとえば私の出身のドイツでは風邪を引いた時に「病気です」と言うのが普通ですが、日本では「風邪は病気じゃないだろう」とツッコまれることが少なくありません。風邪は万病の元とも言いますし、風邪をこじらせていいことは何もありませんので、風邪を引いた時は子どももちゃんと休むのが健全です。逆に風邪を引いても無理して通学するということに慣れてしまうと、それこそ社会人になった時に「インフルエンザなのに出勤した」という周りにとって迷惑な大人になってしまうかもしれません。現に日本ではインフルエンザだと分かっているのに出勤する人がいますが、そういう人の話を聞くと、本人には「周りにうつるかもしれない」という罪の意識が薄く、むしろ「出勤している自分は偉い」という感覚に取りつかれていることが多いのです。こういった価値観になってしまうのは、小学校のころからの「皆勤賞」が一因ではないでしょうか。

ただ「皆勤賞」に見られる「どんな時でも休まないのは偉い」といった価値観は、最近日本でも問題にされ始め、「皆勤賞」を取りやめる小学校も増えているというのはちょっといいニュースかもしれません。

〈小学校編〉

- ▢ 組体操やピラミッドを頑張るわが子を見て感動したことがある
- ▢ 子どもは体罰も含め、ある程度厳しさをもって育てないと良識ある人間に育たないと思う
- ▢ 学校の朝礼はやっぱり必要だと思う
- ▢ 最近の子は昔と比べると甘やかされ過ぎだと思う
- ▢ 子ども時代に皆勤賞をもらったことがある

⇒3つ以上当てはまったら、あなたの周りにいる子に根性論を教え込んでいるかもしれません。まずは冷静に自分を振り返ってみましょう。

中学からは軍隊の要素が

今まで小学校で気を付けたい体育会系的な懸念事案としてピラミッドや組体操を例に書いてきましたが、生徒を校則などで縛りつけ服従させるという点においては小学校よりも中学校のほうが深刻です。

中学校でやらされることの多くは軍隊的なイメージを伴っています。思春期になり自我が芽生え始めている子たちを、「上からむりやり管理してしまえ」という意図が透けて見えます。本来ならば、難しい年頃の子には、むしろ今までよりも多めに自由をあたえ、自分なりの判断ができるように大人たちが応援すべきところなのですが、そうではなく「小さい大人たち」をとにかく縛りつけてしまうのがニッポンの中学校です。

中学生の頃、私はドイツに住んでいて現地の学校に通っていましたが、毎週土曜日に通っていた日本人学校の友達の家で見た「ぼくらの七日間戦争」という映画は衝撃的でした。毎朝スカートの丈やら前髪の長さなどを先生にチェックされるバリバリの管理教育の中学校生活が映し出され、その後生徒たちが学校と闘うというストーリーですが、初めて見た時は、これはあくまでも映画の中のことであり、まさかニッポンの中学校の現実だとは思ってもみませんでした。しかしその後、日本から送られてきた中学生向けの雑誌で校則に関するすさまじい体験談を読み、ドイツにいながら「ニッポンの学校」というものに恐れおののきました。載っていた記事は「強制的に髪の毛を先生に切られた」とか、「女子のスカートの長さが決まっている」だとかドイツの生徒たちからしたら信じられない内容のものばかりでした。

私が通っていたのは、ギムナジウムという将来は大学進学を希望する生徒向けの学校でしたが、同級生は成績優秀であっても、当時流行りの膝がビリビリに破れたジーンズを穿いて登校してましたし、イヤリングもサイズが大きい大人びたものをつけていました。一方、日本から送られてくる中学生向けの雑誌には「校則に縛られる生徒たち」という別世界のことが描かれており、自分なりにいろいろと感じるものがありました。

ドイツに校則は全くない⁉

日本の雑誌で読んだ衝撃的な校則についてドイツ人の同級生に話そうとしても、ドイツの学校には校則そのものがないため、上手く説明できませんでした。「日本の学校には細かいルールがあって…」と言いかけると、なんだか遅れた国の話を聞いているかのような目で見られ複雑な心境になったことを覚えています。

もしかしたらドイツの学校にも、規則が書かれた紙というか文書は校長室などに保管されているのかもしれません。しかし、なんせ生徒手帳なるものがないため、私の知る限り生徒がそれを確認したことはありませんでした。校長先生などにお願いすれば、学校のルールが書かれた紙を見せてもらえるのかもしれませんが、大きな話になってきそうです。結局、筆者がドイツでギムナジウムに通っていた9年間、「これが学校のルールです」と紙を見せられたことはありませんし、口頭で身だしなみ等に関するルールを告げられたこともありませんん。当然ながら、「学校の規則についてもっと知ろう」とワザワザ職員室に確認しに行く生徒も皆無でした。

もちろん無断の欠席が続いたり、宿題をやらなかったりといったことは記録に残るし、それに対する対応は厳しいのですが、生徒の身だしなみだとか学校の外での生活態度についてドイツの学校は基本的にノータッチなのです。

こういったことが可能なのは、ドイツでは「学校は勉強をするところであり、子どもの人間教育は家や親がやるもの」といういわば「住み分け」ができているからです。日本の学校の給食といえば、単にランチを食べる、という意味合いだけではなく「食育」の要素もあります。実は私はこの日本のスタイルが好きなのですが、やはりドイツの学校で食事を通して生徒に食育をするのは難しいと思います。というのも、ドイツでは食事について「個」や「各家庭の方針」が尊重されているため、全員の生徒に「好き嫌いなくバランスよく食べましょう」などと教えることは難しいからです。ベジタリアンの家庭もあれば、宗教上の理由から子どもに牛肉や豚肉を食べさせない親もいます。そういったことに先生が対応するのは不可能であり、食事に関しては全て親や家族に責任があるという考えです。食事に限らず、服装や身だしなみなどの生活態度についても責任は全て家庭にあるとされているため、学校がそういったことに「口出し」することはありません。生徒にSNSを使うことを禁じたり、学校の中どころか「ドライヤーを使うことは禁止」と家庭の中にまで校則という名のもと介入しようとするニッポンの学校とは真逆です。

「便器の素手掃除」で心もキレイに⁉

日本では定期的に「素手で学校の便器を掃除する中学生」の話がニュースになります。不気味なのはこれが「美談」として報じられることです。たとえば17年に埼玉県の熊谷市立東中学校で生徒による「素手での便器掃除」が行われ、これについて報じたニュース[*4]では、同様のトイレ掃除を8年続けている別の中学校の校長先生の言葉「無言清掃を通じて客観的に自分を見る目と心が育まれ、生徒たちはどうすれば人のために役立つかと自ら考えるようになった」を紹介しています。しかし、相手はあくまでも「トイレ」です。どんな病原菌がいるかも分からず、生徒が感染症になったりする危険性は誰も考えなかったのかとショックを受けました。一般社会でトイレ掃除がプロの仕事であるのは、「掃除を素手でしない」のは言うまでもなく、適切な対策とノウハウがあるからこそ求められるからであり、そのおかげで私たちも快適にトイレが使えて病気にもならずに済むのです。

ところが日本の教育現場では生徒の健康はどうでもいいと言わんばかりで、ニュースでも「素手にためらいもあったけど、便器がどんどん白くなり達成感でいっぱい」という感想を「生徒の声」として紹介し、この話を美談に仕立て上げているのです！

感染症はもとより、こんな教育を続けていては、素手で便器磨きをやらされ続けた女子中学生が将来大人になり、「セクハラする男性上司」に堂々と「ノー」が言えなくても不思議ではありません。素手でのトイレ掃除に対し子どもに「ノー」を言うことを許さないニッポンの教育。本当にいつの時代のことかとこの手の話を聞くとめまいがします。

＊4　http://www.saitama-np.co.jp/news/2017/12/18/09_.html

さらに驚くのは、日本では素手でのトイレ掃除が「精神も磨かれる」とか「日本を美しくする」などとちょっぴり右翼的な思想ともつなげられることが少なくないことです。その思想自体は自由かもしれませんが、学校でやることではないと思います。

「茶髪証明」に目が点

先ほど「ぼくらの七日間戦争」の話を書きましたが、あれから30年以上経った今でも、多くの外国人にとってニッポンの学校の校則は「未知の世界」そのものです。日本人男性と結婚し、子どもが日本の中学校に通っている外国人女性に関してもそれは同じで、いかに日本のことをよく知っていても、子どもを日本の学校に入学させたらその校則に親がビックリ！というケースは多いのです。

80年代の後半に日本に来て、日本人の男性と結婚した3人の子どもがいる東京在住のスウェーデン人女性は、日本語がペラペラで、仕事も持ち地域にもなじんでいます。子どものPTA活動などを通して日本の教育とも関わってきた人物ですが、そんな彼女でもビックリ仰天したのが「日本の校則」だといいます。

彼女自身は金髪で、日本の中学校に通っていた娘さんは「ハーフ」だと分かる容姿です。

もともと教育熱心であるため、学校に顔を出すことも多く、関係者も「生徒の母親が外国人である」という事実は把握しています。それにもかかわらず、ある時、彼女のもとに学校の先生から電話がかかってきて、先生にこう確認されたのだといいます。「失礼ですが、お子さんの髪の色は子どもの時と同じ色ですか？」と。初めは質問の意味が分からず、「はい、そうです」と答えると、先生は「念のために幼少期の写真を提出していただけないでしょうか」と言われたというのです。他の母親や娘と話す中で、ようやく彼女は「日本の校則では黒髪のみが許されていて、他の色の髪の場合は、生まれつきその色であることを証明しなくてはいけない」というトンデモ校則があることを知ったとのことでした。

　こんなにもくだらない校則があるのかと母親としてショックを受けたそうですが、面白いのは、彼女が先生からの電話を「はい、もともとその色です。それ以外に何か用ですか？　切りますよ」と電話を切ったことです。

　改めて考えてみると、人に対して「あなたのお子さんの容姿について確認します」と告げること自体が失礼です。ところが「校則」という名のもと、この手の行為がまかり通ってしまうのがニッポンの教育現場です。

「下着チェック」という人権侵害

生まれつき髪が茶色の高校生が、「教師から黒染めを強要され精神的な苦痛を受け不登校になった」として17年に裁判を起こしました。この裁判をきっかけにメディアでも髪にまつわる理不尽な校則について話題になりました。全国的な調査で明らかになったのは、「生まれつき茶髪や金髪の高校生の2割が黒染めをさせられている」という事実です。

少女が裁判を起こした大阪府では、17年当時府立高校の9割が何らかの「頭髪指導」を行っていることが分かりました。朝日新聞の東京都内の調査によると、都立高校の6割が髪の色が黒ではなかったり直毛ではない生徒に対して「地毛証明書」の提出を求めていました。訴えを起こした少女も高校生でしたが、不思議なことに「髪の色」に関しては「中学校」よりも「高校」のほうが厳しいようです。全国の高校生の2割が黒染めを経験していますが、中学生は1割程度です。

ただし、髪の色に限定せずに「校則全般」を見ると、やはり中学校のほうが厳しいようです。スカート丈の規定や、眉毛を整えてはいけない、整髪料を使ってはいけない、など勉強とは関係のない「生徒個人の身なり」について細かく決められています。

そんな中でも鳥肌が立ったのが「下着」に関する校則です。学校によっては「制服の時の下着の色は白とする」という校則があります。また体育の授業の際、体操服の下に肌着をつけてはいけないといった、どう考えても人権侵害としか思えない規則のある学校も見られます。指導する先生側が生徒の下着の色をどのようにチェックするかと考えると、かなり気持ち悪いです。たとえそれが制服の上からの「目視」であっても、先生が変な犯罪を起こす可能性があると思います。実際に近年、先生による盗撮事件が多発しています。

犯罪と校則は関係ないという声が聞こえてきそうですが、校則の名を借りて現場の先生に、下着の色に言及しても良いというお墨付きを与えること自体にリスクがあると思うのです。もしも会社の社長が部下の女性の下着の色について言及したら、エロオヤジとして総スカンを食らう上、ヘタをしたらニュースになることでしょう。ところがニッポンの学校ではこのような人権侵害がまかり通っています。

「制汗剤禁止」「日焼け止め禁止」「スカートの下のタイツは禁止」「コートはダメ」「マフラーはダメ」など明らかに健康を害する校則もあります。腹立たしいのは、これらの校則について学校側は「健康上必要な場合はその旨を申請すること」というふうに逃げていることです。日焼け止めは誰もが必要とするものですが、あたかもそれを使わないのが「健康な子ども」で、使うのは「健康上に問題がある子だけ」という考え方に怒りを覚えます。

　真冬はコートやマフラー、タイツなどが防寒上必須というのも一般常識であるはずなのに、ここでもまた身体が弱いわけでなければ着用は許さない、というような発想なのです。制汗剤は、欧米では「体臭対策」として思春期以降は使用するのが常識ですが、日本の一部の学校で禁止されているということは「私は制汗剤を使わないと臭いんです」と自ら申し出ろと言っているようなものです。差別的な要素を含んでいますし、そんな規則が生徒間のイジメにつながる可能性もあります。

　中には一歩間違えると、生命に危険を及ぼしかねない校則もあります。真夏でも飲み物を飲む時間が決まっている学校がいまだにあります。決められた時間にうっかり飲み忘れたら、熱中症になってしまう可能性があります。ラジオパーソナリティとしておなじみの荻上チキさんと教育社会学者の内田良先生による『ブラック校則　理不尽な苦しみの現実』によると、これは小学校の話ですが、学校まで片道一時間を歩いて通う子どももいるのに、水筒を持たせることは6月は禁止で、7月以降のみ許されるという規則があったといいます。また、「未成年には携帯電話など必要ない」と言わんばかりに、ニッポンでは災害が頻発するにもかかわらず、学校への携帯電話の持ち込みが禁止されていたりして、子どもの命が軽んじられていると思われても仕方ありません。

校則は生徒手帳に明文化されていることもありますが、「部則」のように先輩や教師などから口頭のみで伝えられるが守らなくてはいけないものもあります。もともとは文武両道を目指すために作られたと思われ、「赤点を2回以上とると大会に出られない」といった部則がある一方、大会などに向かうバスの中で寝てはいけないというものまであります。この寝てはいけないというのは、事故の際に寝ていると避難が遅れるなどの合理的な考えが根底にあるのかと思いきや、単に先輩の前で後輩が寝るのは失礼だから定められたのだとか。さらにブラックだと感じられるのが、「部活に私情は持ち込まない」というもの。これでは生徒が家庭に問題があって体調を崩したりしていても、全て一括りに「私情」だと片づけられてしまうことになります。まさに軍隊そのものです。

このような校則や部則に長年付き合わされているからこそ、社会に出てブラックな会社に入ったとしても、結果的にそこの「ルール」に従ってしまうことになります。なんでもかんでも欧米のほうがいいとは思いませんが、一つ言えるとしたら、欧米の子どもは学校で校則というものにつき合わされないため、自由を奪われることには敏感です。当然、いろいろと口出しをしてくるような会社に入ってしまったら、その自由のない環境に嫌気がさし、さっさと転職します。これはもう「論理」などではなく、「気持ち」にスイッチが入るのです。

ところが、日本の学校で校則にがんじがらめにされてきた人は、大人になって就職した会社で明らかにおかしいルールに遭遇しても「このぐらいは我慢しないといけないのかも…」などと思いがちです。でも自分の幸せのためには、自由を奪われそうな場面に遭遇したら、即アレルギー反応を起こすぐらいでちょうどいいかもしれません。

嫌だなと思っても、我慢することに慣れてしまっていると、なかなかやめるという選択ができず、そのままダラダラと残り続ける中で疲労し、ついに逃げ遅れてしまいます。メディアや書籍などで、不満をためながらも現状を受け入れる社会人を扱ったものが増えてきていますが、「理不尽からは逃げる」ということがあまり浸透しないのは、やはり小中高と理不尽な校則に従わざるを得なかった経験がそうさせていると思います。大人になってからも、その人の人生に大きな影を落としていることを考えると、校則を単に「子どもの問題」として片づけるのではなく大人にも当事者意識がほしいところです。

「同じ＝平等」の妄信

日本社会では、「全員が同じルールに従わないと不公平」という感覚が強いです。校則も同じ感覚に従って作られています。しかし外国人や外国にルーツのある生徒も増えた今、髪の毛について「色は黒で直毛」をスタンダードにすることは平等でもなんでもありません。平等どころか黒人の血が入った生徒にも直毛にすることを求めたり、髪の色が明るい白人系の生徒に黒髪に染めさせたりすることは人種差別です。多様なバックグラウンドの生徒が増えている今、「みんな同じにすれば平等だ」という発想は間違いです。

最近は世間でも、「同じにすることがすなわち平等とは限らない」という声が聞かれるようになりました。次に掲げるような絵がウェブ上では多く見られ、盛んに議論されています。全員に同じものを与えるのではなく、全員が同様に幸せになれるように工夫して、それぞれに合わせたものを与えることが真の平等です（次頁の図では右側）。

今の日本の現状は図の左側です。「人間はそれぞれ違う」ということが無視され、とにかくみんなに同じものを与えておけばいいという状況です。でも学校で長年、「個」としての自分を抑えつけたまま社会に出ると、不自由な大人になってしまいます。欧米人と比べると日本人は自尊心が低いと言われていますが、学校がその一因でしょう。

自尊心をやられて一種の「学校後遺症」になってしまう大人もいる一方で、厳しい校則を

図「平等と正義」

疑うことなく「過剰適応」してしまった結果、理不尽なルールであっても「誰であれそのルールを破ることは許せない」人が日本には多くいます。日本の電車で「携帯で話していたから殴った」というような事件がたびたび起きているのはそのせいです。そこには「ルールを守らない人には何をしてもいい」という思考が垣間見えます。

日本の学校の校則は生徒が一方的に守るべきもので、生徒自身の発言権が重んじられていないことがそもそも問題です。「国連子どもの権利委員会」は、1998年6月以降、日本政府に対し数回にわたって、「日本の学校制度では子どもが参加する権利（条約12条）が制限されている。子どもの意見の尊重が十分でない」と警告しています。

「妊娠したら退学」という女子差別

19年の「世界男女平等ランキング」で日本は１５３か国中の１２１位でした。これは日本として過去最低であり、もちろんＧ７の中でもダントツ最下位です。日本が発展途上国よりもランキングが低いことに関しては様々な要因がありますが、考えてみれば日本の学校制度自体が女性に優しくありません。女子生徒が妊娠すると退学させたり、生徒に対してしつこく自主退学をするように促したりという事例が日本では後を絶ちません。

校則で「男女交際は禁止」「妊娠したら退学」と定めているところまでありますが、ある弁護士に尋ねたところ、仮に「妊娠したら退学」という校則があっても、それ自体が違法だそうです。なので生徒やその親が弁護士等に相談すれば、退学自体が無効になる可能性が高いとのことでした。

18年3月に文部科学省が発表した調査では、全国の公立高校が把握している生徒の妊娠は２０９８件で、そのうち６７４件のケースで生徒が自主退学をしたことが分かっています。

問題なのはその中に学校から自主退学を勧めたケースもあったことです。論理的に考えれば、「子どもを産むこと」は「学業からの解放」を意味しません。それこそ若くして出産した母親が将来いい職業に就くためには、一定以上の学業を修めることが望ましいのです。学歴がなく周囲のサポートもないと、母親が子どもとともに貧困に陥る可能性が高くなります。

しかし日本の教育者の頭には妊娠した生徒やその子どもの将来のことはなく、「10代が性交するとはけしからん」「妊娠して退学は自己責任」というふうに、生徒の妊娠を「風紀を乱すもの」としか捉えられないのです。これは一部の発展途上国の「未婚の娘が妊娠したら家族がその娘を殺す」という考えに近いものがあります。日本の場合、物理的に殺しはしませんが、学歴を必要とする人に退学を促すというのは女性を社会的に抹殺する行為と言えるでしょう。

当たり前ですが、妊娠した女子生徒が退学になることは「女性差別」です。というのも、妊娠させた側の男子生徒は多くの場合、退学になりません。「女しか妊娠しないのだから当たり前じゃないか」というオッサンの声が聞こえてきそうですが、それはすなわち妊娠できる身体（つまりは女性）に生まれたから悪いということであり、一方、妊娠させた男子生徒は「見た目で分からないからＯＫ」ということでまさに差別です。

このように「何かあったら女子だけ罰する」ことを学校で実践しているため、そんな場に長年身を置いた人たちは社会に出てからも「女性に対して厳しい目で見る」ことが当たり前になってしまいます。その結果が世界ランキング１２１位です。

妊娠した10代の女の子というのは社会的弱者です。多くの場合、計画的な妊娠ではなく、男性の欲に従うまま妊娠してしまい、男性からも親からも見放されている状況です。そんな弱い立場にいる人間を追い込んでも、反撃してこないからとことんいじめて学校からも追放してしまえ、という学校側の論理がそこにはあります。ニッポンの学校は単に「女子生徒をナメている」のです。弱い立場にいるから弁護士を立てて学校を訴えることはないだろうとタカをくっているからこそ、安易に自主退学などを勧めているのでしょう。

先進国なのに妊娠したら退学というのは国際的に見ても破廉恥な行為ですので、ここは人権派の弁護士さんに頑張ってもらいたいところです。

奇跡の成功例・八村塁

理不尽なルールを強いる「部則」など、ニッポンの部活にも問題点は多いです。ただし、優れた指導者に巡り合う可能性があるのもまた事実です。近年の成功例はなんといっても八村塁選手でしょう。21歳でＮＢＡに選ばれ年棒４億円と報じられたことは皆さんの記憶に新しいかと思いますが、彼のバスケットボール人生のスタート、それはニッポンの部活でした。

もともと小学校時代は野球に打ち込んでいた八村選手ですが、投げる球が速過ぎる&重過ぎるということで、周りの児童から「痛くて受け取れない」と言われてしまい、才能があったにもかかわらず「キャッチャー」のポジションにされてしまいます。その後、肩を痛めたこともあり、野球は続けず、中学校へ上がってからはどの部活にも入っていなかったそう。

そこに目をつけたのがバスケット部の坂本穣治コーチで、人を介して八村選手にバスケット部を見学に来るように何度も誘ったのだとか。八村選手は度重なる勧誘に負けバスケット部に入るのですが、バスケットを始めたのは中１になってからですから、運動神経は良かったもののバスケで芽が出るまでには時間がかかりました。

この坂本コーチは最初から八村選手に対し、「君は将来ＮＢＡの選手になる」と言い続けていたそうです。練習を懸命にする八村選手の心が折れそうになると決まって、「君は将来ＮＢＡの選手になる」と声をかけました。また、「マイケル・ジョーダンそっくりだ」とも。

八村選手のＮＢＡ入りが決まった際、坂本コーチが「最初は本気で『ＮＢＡ』と言っていたわけではなかったが、彼が真剣に目指すのを見るうちに、いつの間にか私の夢にもなっていた」[*5]と語っていたのは印象的でした。また、「私としては指導力のなさを埋めるためにＮ

ＢＡという言葉を利用させてもらった感じがある。ＮＢＡに申し訳ないですね。夢を描けと指導してきたが、現実になるなんて。夢を持つことの大切さを改めて感じました。八村との出会いは偶然だけど、彼が成長したのは必然。こんなことってあるんですね[*6]」と語り目頭を押さえました。

これなどは世界の誰が見ても「いい話」だと思います。生徒の才能に惚れた指導者が、生徒を褒めて褒めて才能を伸ばす。最初から最後まで「君は将来ＮＢＡの選手に…」と言い続けたことが才能ある八村選手からさらなる才能を引き出したのでしょう。部活というとシゴキにばかりに目がいきますが、「褒めて伸ばす」指導者もいるということはもっと知られていいかもしれません。

さらに、八村選手が「ハーフ」であることに配慮した指導を行っていたこともいい結果につながりました。八村選手は中学校の後に宮城の明成高校に進学しますが、ここのバスケ部の佐藤久夫監督は前述の坂本コーチと定期的に電話で連絡を取り合い、八村選手について相

＊5　https://www.sanspo.com/sports/news/20190622/nba19062205010007-n1.html
＊6　https://www.sponichi.co.jp/sports/news/2019/06/22/kiji/20190621s00011061510000c.html

談することもあったそうです。
興味深かったのが「週刊新潮」[*7]に載っていた坂本コーチの発言。「佐藤監督とは電話でよくやり取りをしていましたが、ある時、八村の生活態度について相談されたので、〝彼の心の半分はアフリカなのです〟と言ったことがある。あまり日本式の枠に当てはめないほうがいいんじゃないか、という意味です」坂本コーチは、八村選手のバスケ以外の生活面ではもっと「自由」を認めてあげるのがいいのではないかと間接的に伝えたわけです。

八村選手には過去に「カツアゲの濡れ衣」を着せられた辛い体験があります。通っていた中学校に「背が高くて色が黒い子がカツアゲをした」とゲームセンターから連絡があり、八村選手の母親が学校に呼び出され、カツアゲの濡れ衣を着せられそうになりましたが、後に真犯人はサッカー部の日焼けした他の子だということが判明しました。また、中学校時代に急速にバスケが上達したことで一部の親からヤッカミを受け、なんと味方の席から試合中にブーイングを浴びたと言います。この時ばかりは母親も気が滅入り、八村選手にバスケをやめさせようとしたそうです。[*8]

カツアゲの濡れ衣を見ても分かるように「黒人とのハーフである」ことを理由に酷く扱われ、心に傷を負った八村選手に対して、もしもバスケの指導者が「スパルタ指導」をしていたら、部活をやめていた可能性も高いと思います。八村選手は才能がある上に、指導者にも恵まれたことは本当に幸運でした。彼に合う方法で指導してくれた坂本コーチに出会えたことは八村選手にとってはまさに「奇跡」でした。

やめられない部活はヤクザと同じ

その一方で、部活というものに対する考え方が根本的に間違っていると感じることもあります。

たとえばひと昔前などは堂々と、「部活をやらないと子どもが時間を持て余して非行に走る」という論を語る人がいました。今でもその考え方は残っており、難しい年頃の子たちはとにかくシゴいて疲れさせておけば悪さはしないだろう、という現代の先進国の教育者とはとても思えない人もまだいます。「疲れさせておけば（組織に対して）忠実でいてくれるだろう」という発想はまるで参勤交代の時代のようです。未成年とはいえ、思春期の年齢の人

＊7　19年7月4日号46頁
＊8　「週刊文春」19年7月4日号148頁

間を個人として尊重していれば、「空き時間を使ってロクでもないことをするに違いない」などとハナから決めてかかることはないでしょう。

実際には、人間は十分な休息がとれて自由な時間があるからこそ、自発的に「これをやってみたい」という気持ちになったり、自分の好きなことを見つけることができるわけです。八村選手のような出会いが部活であればいいのですが、そうでない場合はどうしても「上からやらされている感」がついて回ります。

ブラックやスパルタでない限り「学校で部活」には私も賛成ですが、それでも部活をやることのデメリットは確かにあると思っています。そのデメリットとはひと言で表すと、「逃げ場がないこと」です。部活での人間関係が上手くいかないと、追いつめられ不登校になる子もいます。部活は学校の中で行われるため、そこでの人間関係が直接クラスでの人間関係に影響するわけです。

ドイツの学校でも部活に入ることはできますが、入る生徒が少なくかなりマイナーです。これは「選択コース」（Wahlkurs）というもので、写真部だったり演劇部だったりするのですが、入部は強制でないのはもちろん、選択コース自体が学校の中であまり知られていないため、入る生徒が少ないのです。やはり「授業以外で学校にいるのは嫌」と考える生徒が多く、この選択コースを実際に受講している生徒はあまりいません。

運動系（スポーツ）に関しては、そもそも学校の選択コースではなく、市がやっている地域のクラブに入るというのが一般的です。ミュンヘンに住んでいるならミュンヘン市のサッカークラブに年齢やレベル別に入るという形です。

詳しくは後で述べますが、スポーツをする場所が学校以外であることのメリットは、やはり「気楽さ」にあると思います。人間関係がこじれても、学業には影響がないという安心感というのでしょうか。「学校」という場と「それ以外の活動」を分けるという考え方は、確かに「ドライ」ではありますが、「一日の活動が全て学校で行われる」という状況よりも気は楽なので、結果として健全です。昭和ながらの考え方の人には「甘い」と言われるかもしれませんが、子どもも「逃げ場」があったほうが輝けるというものです。

「逃げ場がない」といえば、千葉県柏市立柏高校2年生の男子生徒が部活での過労が原因で自殺した可能性があるとして、医師や弁護士らの第三者委員会が設置されたことが19年12月に報じられました。男子生徒は吹奏楽部に所属していましたが、父親によると部活で平日は7時間、土日祝日は12時間練習しており、高校2年生になってから休みが2日間しかなかったとのことです。

当校の吹奏楽部は全国大会の常連校で金賞も多く獲得しているのですが、この練習時間はもとより生徒が死亡したことを考えるとブラック部活だと言わざるを得ません。先日、ある人と話していたら「この吹奏楽部には２００人いて死んだのは１人だから、彼がただ弱かっただけじゃないか」と言われましたが、これではまるで死んだ人に非があるかのようです。日本ではよくこの手のことを言う人がいますが、「みんなは平気だから死んだその人が特別」という発想は、「ブラック思考の典型」だということをここに申し上げておきます。

この例を見ても、学校の部活が時に子どもを極限まで追い詰めるものであることが分かります。学校外の吹奏楽部であればやめることができますが、学校という閉鎖的な空間ではその選択が難しいので追い詰められてしまいます。「退部するのは甘え」とか「最後までやり遂げるべき」とか「進学に響くぞ」と脅されるなど、いったん足を踏み入れたらよほどの覚悟がないとやめられないというのは欧米的な感覚だとヤクザ組織と同じと言えるのではないか、なんて思ってしまいます。怖過ぎです。

部活は「思い詰める大人」を作り出す土台になっています。部活は「根性がつく」というのは当たっているようで当たっていないのです。「何か物事を始めた時に、それを途中で投げ出さずに最後までやり遂げる」とか「先輩にしごかれても頑張る」というような意味では忍耐力が身につくかもしれませんが、結局それが人生に不可欠かというと疑わしいです。

どんな仕事に就いてもすぐにやめてしまう人は確かに困り者ですが、日本での過労死や自殺、鬱がたたって復帰不能となるケースを見ていると、果たして「何がなんでも最後までやり抜く」が本当の意味での「根性」なのか疑問に思います。途中で勇気を出して、「ここまではできません」と言い切ったり、会社をやめたりしていれば過労死せずに済んだのではないかと思われるケースは多くあります。

日本では年間の自殺者が約２万人という恐ろしい数を見ると、この一部には、「最後まで我慢」だとか「根性で何とか乗り切る」という考えを捨て、早めに逃げていれば助かった命

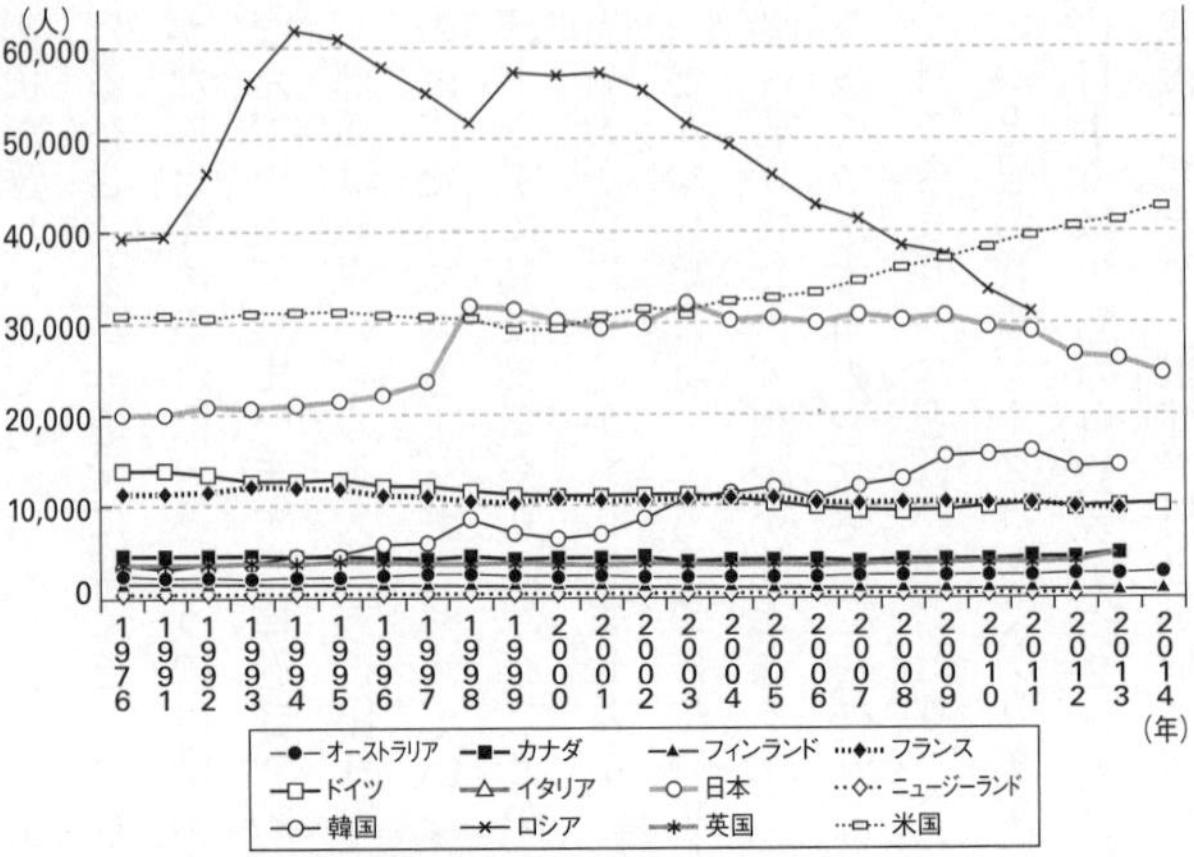

出所）厚生労働省自殺対策推進室資料より

図　主要国の自殺者数推移

もあったのではないでしょうか。

思うに、本当の意味の根性とは「人生をまっとうする術を身につけ、その余力を残しておく」ことではないでしょうか。死んでしまっては全てが終わりのはずです。自分の人生を最後まであきらめずに生きる――それこそが根性ある生き方だと思います。

あなたの「体育会系度」をチェックしよう

〈中学＆高校編〉

- ☐ 制服姿の学生を見ると青春だなあと思う
- ☐ 中学生や高校生が異性交遊だなんてとんでもない。妊娠して退学になるのは当然だと思う
- ☐ 生徒は我慢を知るために校則によるある程度の縛りは必要だと思う
- ☐ 子どもにはなるべく部活をやって精神を鍛えてほしい
- ☐ 子どもが学校で素手で便器を掃除するのは素晴らしい教育だと思う

⇒3つ以上当てはまったら、あなたの周りにいる多感な時期の子を歪んだ価値観で追い詰めているかもしれません。まずは自分に優しくなりましょう。

ドイツのスポーツでは全員対等

日本では相撲、アメフト、レスリング、体操はじめスポーツ界で体罰が問題になっています。それは学生からプロまでどこでも頻発している現象で、「スポーツにある程度の厳しさは必要」と考える人が日本には多いことが一因です。むしろ「スポーツって体罰なしで成り立つの?」と思っている人もいるぐらいです。

しかし、私が育ったドイツではスポーツと体罰は全く結びつきません。ドイツではスポーツといえば、Sportverein（フェライン）です。「フェライン」とは「クラブ」や「協会」という意味で、これは地域密着型のものです。特定非営利活動法人であるこれらのスポーツクラブは全国に9万以上あり、この数は日本の倍です。

設立から100年を超えるところもあり、フェラインの活動は長い歴史を誇ります。その意味で上下関係が厳しいかと思いきや全く逆で、フェラインの特徴は人間関係が「フラット」なことなのです。

ドイツ語で「あなた」を指す言葉には、初対面や仕事関係の相手に敬意を込める Sie と、友達や親しい間柄で使われる du があります。「相手に Sie か du のどちらで話しかけるか」

は時に悩ましい問題なのですが、フェラインではみんながduで呼び合うのが伝統です。

若い人から年配の人まで様々な年齢の人がいて、また相手が政治家だろうが医者だろうが社会的地位を気にせずduが使われるのは、いかにドイツのスポーツでは「対等であること」が重んじられているかが分かります。同じスポーツをする仲間同士ではみんなが対等であるというわけです。

フェラインはあくまでも、「自由時間」に行われるものなので、学校や職場とは無関係です。スポーツを通じて、普段の組織や世代を離れた人間関係を築くことができます。ドイツで一般市民がスポーツするといえばフェラインであり、強制や利害とは無縁で対等な関係が保たれているため、そもそも体罰が生まれにくい土壌があります。

世の中にはいろんな人がいて、学校や会社が全てじゃないというふうに良い意味で余裕を持てることは子どもにとっても大人にとっても大切なことです。人間関係を一か所に絞らず、「いろんな場所にいろんな友達がいる」という状況が居心地いいのはもちろん、リスクマネージメントの面でも安心というわけです。

日本のスポーツで体罰が根付いた原点には、60年代に世界最強を誇り「東洋の魔女」という異名を取った女子バレーボール日本代表チームがあるのではないでしょうか。それ以来、監督にしごかれながらの「汗と涙の青春物語」というような美化された昭和のスポ根が連綿と受け継がれてきました。指導者に壮大な夢があるのは悪いことではありませんが、思うように結果が出ないフラストレーションはしばしば体罰という形となって現れてきました。

また、日本のスポーツ界では非合理な精神論が長らく幅を利かせ、いまだに大事な試合の前には十分な休息よりも朝練を優先させることがあるといいます。さらに、アスリートは「高潔さ」や「清潔感」が求められるのも日本特有だと言えるでしょう。昔と比べると改善されてきているものの、女性アスリートがピアスや化粧をするのを禁止したりと、なおも一部で「アスリートはオシャレと無縁であるべき」という雰囲気が残っています。

ウイーンのバレエ学校でも体罰が

今まで日本のことを散々書いてきましたが、ヨーロッパでも似たような問題が皆無というわけではありません。19年にはオーストリア・ウイーンの名門バレエ学校がダンサーに対して、叩いたり出血するまで引っ掻いたり髪を引っ張ったり体型を侮辱するなどしたことが明らかになりました。さらには生徒の体型を揶揄し、生徒の名前を呼ぶ際に服のサイズと一緒に呼ぶなどのハラスメント行為をしていたことも分かりました。

閉鎖的な空間で行われていたこれらの行為にスポットが当たるようになったのは、オーストリアの週刊誌「ファルター」が生徒に対する身体的・精神的虐待について報じたことがきっかけです。その後、政府系の特別委員会が調査を行いました。同委員会の委員長が、「学校で、生徒が名前の後に服のサイズも付けられて呼ばれていた」「学校では生徒らに対して細い体型を維持するために喫煙を勧めていた」ことを発表すると世間に衝撃が走りました。

日本でも報道された事件ですが、日本で特に衝撃をもって受け止められたのは同バレエ学校が10歳から18歳までの児童に喫煙を勧めていたことです。ただ、ヨーロッパのメディアでは喫煙よりも体罰にスポットが当たっています。というのもオーストリアもドイツも戦前は体罰が当たり前の国で、今でいう虐待が家庭や学校で行われてきた過去があるからです。現在、オーストリアでもドイツでも体罰は学校・家庭の両方で禁止されており、学校などでも体罰の問題は近年見られないことから、このバレエ学校の件は「まるで19世紀のようだ」と話題になりました。

学校やスポーツで年中「体罰」が発覚している日本とは違い、少なくとも教育機関ではこの手の問題があまり見られないからこそ、バレエ学校のケースはヨーロッパ社会に衝撃を与えました。

現在では、体罰が効果的どころか子どもの成長を妨げることが研究でも明らかになっています。私自身は、2010年に亡くなったスイス人の心理学者のアリス・ミラーの著書『沈黙の壁を打ち砕く―子どもの魂を殺さないために』(新曜社、原題“Abbruch der Schweigemauer”)や『魂の殺人』(新曜社、原題“Am Anfang war Erziehung”)などを読んで世の中で起きているひどい事件について理解できるようになったと思います。ミラー氏は、「暴力的な大人には、親から暴力を受けた悲しい過去がある」としており、ドイツのシリアルキラーや、ヒトラーやチャウシェスクといった独裁者の子ども時代にスポットを当てています。彼らに共通するのは親から受けたすさまじい暴力の体験です。

納得したのは、子どもは親からの暴力に抵抗できない上、それを正しいと思い込むしかないが、その悲しみや屈辱を忘れることができないため、大人になってからそれが他者への暴力として現れるという記述です。日本でもヨーロッパでも暴力的な大人について、よく「親が甘やかした結果だ」などと言われていましたが、定説に抗う主張です。

昔のヨーロッパの教育を見ても、ウイーンのバレエ学校の件を見ても、教育現場での暴力は決して日本だけの問題ではないことが分かります。ただ現代は、それがヨーロッパではかなりレアになってきている一方、体育会系的な根性論が残る日本ではなおも珍しくないのです。

サークルの飲み会はレイプの温床⁉

日本に来た私がまず学んだこと。それは体育会系的な飲み会がやたら多いこと。幸い、私自身が体験したいわゆる体育会系の飲み会は、来日1年目にしてアルバイトをしていた塾の打ち上げだけでした。宴席では「イッキ、イッキ！」の掛け声が響き渡り、「これが日本では普通なの？」とオロオロしたことを覚えています。

しばらくすると、体育会系的な飲み会というのは主に大学生を中心に行われていることが多いと分かりました。私が参加した塾講師の飲み会も、考えてみれば同僚の何人かは現役の大学生でした。

それにしても、大学のサークル関連の飲み会では時に全国ニュースとなるような悪質な事件が起きています。全国的に有名になったのは2003年の早稲田大学のスーパーフリー事件（飲み会で女性を酔わせて性的暴行）です。近年も2016年に、千葉大医学部生が起こした事件、慶應大広告学研究会メンバーの事件、東大誕生日研究会メンバーの事件と、集団強姦が多発しました。いずれも女性を無理やり酒に酔わせて暴行に及んでいます。

残念ながらドイツでもレイプやわいせつ事件は少なくありませんが、日本のレイプ事件でよく登場するのは「大学生・サークル・飲み会」という3点セットです。これはヨーロッパの大学生には見られない現象です。なぜ日本の大学の大学生ばかりがこういった事件を起こしてしまうのかを今一度考えてみると、有名大学に入るまでは勉強一筋でいわゆる一般常識や社会性に欠けていたという点がよく指摘されています。

でも私は、日本の教育でやたら「仲間意識」が大事にされてきたことが裏目に出た結果だと思っています。男性同士の中で揉まれて育ち、受験勉強で苦しみながらやっと入れた大学では仲間たちと思う存分はっちゃけたい。そんな時に、サークルの「飲み会」では仲間と協力し合えば女性を簡単に酔わせセックスに持ち込むことができると知り、味を占めてしまったというわけです。

しかしどんなに同性同士の仲間意識が強かろうと、お酒が入っていない席ではこういう事件は起きにくいわけですから、大学に入ってまず気をつけるべきは「サークルの飲み会」だと思います。私自身、よく忘年会のシーズンなど安めの居酒屋に行くことがありますが、隣の個室からやたらテンションの高い声が聞こえてきて、そっとのぞくとまあひどいこと。大学生だと思われる集団で、男性が裸になっていて踊っていたり、酔いつぶれて寝ている人がいたり。そして定期的に聞こえてくる「イッキ、イッキ！」。隣でヤバいことが起きていないだろうかと心配になることがたびたびあります。

日本の大学生の飲み会は、イッキ飲みなどの同調圧力があり、周囲には応援団のようにやたらと「やれーやれー」「飲んじゃえ」「脱いじゃえ」などとはしゃいでいる人たちがいて、あの場面にふすま越しに出くわすと「ああ、大学の体育会系飲み会…」とため息が出ます。そんなわけで、男子でも女子でも変にノリの良いサークルの飲み会には気をつけましょう！

ニッポンの大学時代は、規則が多かったり受験の心配をしなければならない中学校や高校と違って、唯一「気楽に過ごせる」4年間だったりしますが、飲み会で足を踏み外してしまうと一生を棒に振ることになりかねないので要注意です！

自己責任論は政府の思う壺

近年の日本社会では、収入が低いのは自己責任、生活保護の人は自己責任、子どもを産んでノイローゼになるのも自己責任、離婚後に子どもの養育費を払わないような人と結婚した女性も自己責任…といった具合に、個人が何か問題に直面すると、即「本人が悪い」と考える人が後を絶ちません。そういう人がいわゆる世論をつくり「生きづらい世の中」にしているのだと思います。

怖いのは、多くの人が自分に対して、そして他人に対して「悪い結果はどれもこれも自己責任」と考えるようになると、それが世論になってしまうことです。結果、自分たちで「生きづらい世の中」にしているのです。そうすると、国や政府にとっては非常に都合が良いのです。

欧米では自己責任という発想はなく、「養育費を払わない父親がいるのは許せない！　国が何とかしろ！」と皆さん怒るので、養育費は口座からの天引きになりますし、生活保護は福祉国家では当然の権利なので、「受給者は税金泥棒だ」などという声は稀です。

ところが日本ではこうした意見がそれなりに力を持っているため、国としてはシメシメです。多くの国民が「それは個人の自己責任！」と思ってくれれば、育児をするにあたって家族のワークライフバランスを国が考える必要はありません。たとえば子育てを母親の責任にしてしまえば、本来は政府が担うべき適切なワークライフバランスに基づく子育てしやすい環境作りという役目からこっそりフェイドアウトできそうです。また、生活保護は税金の無駄遣いだという意見が一般の意見として浸透すれば、それこそ政府にとってかなり都合の良い話です。

でも一番のポイントは、そのような自己責任論、すなわち全て本人の努力が足りないせいだという考え方が浸透すると、いざ自分が問題を抱えた時に、味方になる人がいない殺伐とした世の中になってしまうという点です。まさにこれが今の日本の問題です。

それにしても、なんでもかんでも「頑張りが足りない」で片づけてしまうのは滑稽ですらあります。筆者自身は「頑張り」自体を否定しているわけではありません。「頑張る」という言葉は他の言語になかなか訳せないからこそ、日本語ならではの表現に救われる人もいると思います。

ただここはさじ加減が大事かもしれません。自分が大変な状況にいる時に、時間や体力、精神力も含めて冷静に分析しながら「私もっと頑張らなきゃ」と自らにハッパをかけるような、あくまでゆる～い頑張りだといいのですが、実際の自分を超える頑張りとはサヨナラしないと、幸せにはなれません。

長い人生、困難に直面した時に、「自分で自分を奮い立たす」ことは大事ですし、それぐらいの精神力はほしいところですが、問題は、この「自分さえ強くなればなんでも乗り越えられる」という信念を他人に対しても強いてしまうことです。

たとえば子どもが学校でイジメに遭ったと聞けば、解決案を考える前に「自分が立派な人になって、イジメっ子を見返してやれば良いんだ」ということを平気な顔で言う大人の多いこと、多いこと。

夫からのモラルハラスメントに悩む娘に対して、「男は威張りたいもの」「それを理解してあなたが我慢しなさい」と娘を諭したり、娘が夫からのDV被害を親に語っても「それは、あなたが言い返したから叩かれても仕方ない」と、あたかも娘に非があるかのように言ったりする身内に厳しいタイプの親も「我慢教」に毒されていると言えるかもしれません。[*9]

この手の話は、幼少期から親に「あなたが我慢すれば良い」と教えられる→萎縮して育ち大人になってからもモラハラ型の男性を引き寄せてしまう→親に相談すると旦那に味方する、という悪循環になることも。思い当たる方は、自分の幸せを、配偶者や親から壊されないように注意が必要です。

ここで自分自身を振り返り、まずは自分に対して無理なハッパをかけていないか、そして周囲に対しても、「あの人は甘えている」「当人の頑張りが足りない」という思考回路に入ってしまっていないか見直してみると良いでしょう。やたらと「みんな愚痴ばかりで腹が立つ」などと感じるようだったら、あなた自身も実はかなり「無理」をしているのかも。自分自身に厳しくなり過ぎていないか今一度立ち止まり、まずは自分に優しくなりましょう！

逆に他人に対して何かにつけ「努力が足りない」とか「文句ばかり言うな」という思いが言葉の端々に出ているような人とは、少し距離を置いてみると良いかもしれません。反対に、「まあ大変ね」と状況を理解してくれた上であなたに助言してくれるような人の存在は貴重です。

日本ではよく、「厳しい状況の中で誰々さんにハッパをかけてもらい元気をもらった」というような話が聞かれますが、それが本当にいい話の時もあれば、逆に相手を追い込んでいる場合もあります。大人になったら、そこは冷静に見極めたいところ。ハッパをかけられた気持ちにその時にはなっても、後々押しつぶされてしまっては元も子もありません。

「ごく普通の人」が叩かれる

かつては海外でボランティアをするなど、「世間のレール」から少し外れた人が現地で災難に見舞われると、その人の「自己責任」だと叩くのがお決まりでしたが、ここ数年は「普通に新卒で入った会社がブラック企業で、散々コキ使われた結果、鬱病になった」というよ

＊9　https://headlines.yahoo.co.jp/article?a=20191029-00205125-hbolz-soci

いるごく普通の日本人」に対する目が以前より厳しくなってきていると感じます。まっとうに生きてきた人なのに、何かにつまずいたり、不幸に見舞われたり、事件の被害者になった途端、世間はいとも簡単に「自己責任」という言葉を使います。

「自己責任」は「発言側」にとっては便利な言葉で、「その結果を招いたのは本人」「違う判断をしていればそうならなかったはずだ」という前提のもとで自由自在に使われます。たとえばブラック企業で3年働き続けて鬱病になった人が、仮に入社10か月ぐらいで会社をやめていれば良かったのかというと、それはそれで「昔は石の上にも三年といったものなのに、すぐにやめてその後の就職が決まらないのはお前が悪い」とまたまたここでも「自己責任論」を振りかざす人が現れ、実にやっかいです。

さらに悪いことに、「自己責任論」は、「立場が弱い個人」に対して向けられがちです。困難な状況に立たされている人に対して、「それはあなた個人の問題だ」という主張をすることは、間接的にではありますが、その不幸の真犯人である「組織」（それは会社だったり国の制度だったりします）を間接的に応援することになります。

日本は民主国家なので、組織や国を非難しても自分に命の危険が及ぶわけではないのに、なぜか標的は「大きな組織」よりも「弱い個人」になることがしばしばあります。国や会社に対する批判もあるものの、欧米と比べると日本では「個人」が叩かれることが多いのです。結果的に多くの人が間接的に「国や組織、会社の味方をする」という、「お上」にとって都合の良いことになってしまっています。

ではなぜそのような思考回路になってしまうのか。

それは、多くの人が小学校から大学まで「個」よりも「組織」を優先すべく訓練されてきたというのが一つの原因だと言えるでしょう。悲しいのは、「個」がどんなに組織のために我慢して大きな犠牲をはらっても、結果的に「個」が幸せになることは稀だということです。

それにしても、小学校、中学校、高校、大学と本当に普通に努力をしてきたまっとうな人が社会人になってから「ブラック労働」という理不尽な目に遭っても、世間はその人に対してあまり同情的でないのはなぜなのか。「私だって大変なのに、他人になんかかまってられない」と言わんばかりです。嫌な話ですが、ブラック企業に入社するなど、いったんネガティブな場に足を踏み入れたら最後、味方だったはずの家族や友人までもが「苦しんでいる自分」ではなく「組織の味方」となってしまうことが少なくありません。

そうした悪いループにハマらないためにはどうすれば良いのでしょうか。それは「気の持ちよう」などではなく、ズバリ怪しいことが起きそうな組織に足を踏み入れない「見極める力」を身につけること。それでも万一、そういったブラックな現場に関わってしまったら、自分が元気なうちに抜けること。これが一番大事です。「でもやっぱり残った仕事が…」という後ろめたさや、「そんな職場を選んだのは自業自得」などの周囲の声はとにかくスルーすべし！

生活保護叩きは先進国として恥ずかしい

「生活保護者叩き」がたびたび起こるニッポン。以前、お笑い芸人の河本準一さんの母親が生活保護を受給していたことが話題になり、インターネットを中心に「息子は芸人で年収も高いのに、母親が生活保護だなんて不正受給だ！」と叩かれました。

16年には、ＮＨＫのニュース番組が若者の貧困にスポットを当てようと、生活保護を受けている母子家庭の女子高生「うららさん」を取り上げたところ、背景に映りこんでいた趣味の画材やゲームが「贅沢」だとしていわゆる「貧困女子高生叩き」が起こりました。

さらに彼女が過去にツイッターでつぶやいた内容を見た人から、「女子高生なのに、過去に千円以上のランチを食べていた」「映画を鑑賞していた」「これでは貧困だと言えない」等のバッシングが数週間にわたり続きました。途中で片山さつき議員も参戦し、自身のツイッターで「チケットやグッズ、ランチ節約すれば中古のパソコンは十分買えるでしょうからあれっと思う方も当然いらっしゃるでしょう」「ＮＨＫに説明をもとめ、皆さんにフィードバックさせて頂きます！」と、女子高生バッシングに加担するような発言をしました。

この騒動により、未成年の子の個人情報が広く知れ渡ったことも問題でしたが、何よりも「いい歳した大人が大勢で未成年の子どもを叩く」という日本社会の闇があらわになってしまいました。「社会人の自分も生活が全く楽ではないのに、なぜ女子高生にスポットが当たるのか」という一部の人の心理が働いたのだと思われます。しかし政治家は、こういう場こそノブレス・オブリージュが求められるのに、ネットでの未成年叩きに賛同してしまったのは、なんとも残念だと言わざるを得ません。

発展途上国で見られるような食べ物にも困る「絶対的貧困」とは違い、先進国で問題になっているのは先程の「うららさん」に見られるような「相対的貧困」です。しかし相対的貧困について「食べ物は十分あるので、大した問題ではない」と考えるのは間違いです。その国のスタンダードである生活ができないのであれば、貧困としてしっかり認識されるべきです。

先進国において、たとえば携帯電話を持てない、パソコンが買えない、というのは十分に大きな問題です。今の時代、パソコンも携帯電話もなければ勉強に必要な情報収集をすることは困難ですし、アルバイトや仕事にありつくこともできないでしょう。その国の多くの人が当たり前のように持っているもの、いわばインフラは全ての人に与えられて当然なのです。

ニッポンで定期的に生活保護受給者バッシングが起こるのは、「自分が頑張っていれば貧困なんかに陥らないはず」という精神論の支持者が多いということです。しかし日本の現実は７人に１人の子どもが貧困だということです。未成年の子の貧困は当然ながら自己責任とは言えず、また、貧困の家庭で育った子はチャンスをつかみにくい環境にいるため、そのまま大人になったとしても、果たしてそれを自己責任だといえるのでしょうか。

幼い時から本が家にたくさんあり、親が子どもに本を読んであげることができる環境と、本も買えず、親が生活に追われ子どもにかまう時間を取ることが難しいという環境では、育つ過程で学力に差が出てきますし、結果として将来選べる職業の選択肢にも差が出てきてしまいます。これは、否定できない事実なのです。それでも「頑張れば貧困になんかならないはず」と信じてやまない人がいるのはなぜか。そこには、現実を見るよりもやはり精神論を信じたいという願望が根底にあるのだと思います。

第2章　サンドラが見たヘンな職場

声が大音量の就活生

さて、大学生活が終わればいよいよ就活です。卒業していきなり起業する人も最近は出てきていますが、まずは会社に就職する人が多数派です。

だからこそ、「ブラック企業に入社しないこと」が一つの大きな課題です。大学生はどうしても、自分のやりたい職種であるか、給料はどうかなどに目が行きがちですが、それ以外に大事なこと、それは「余力を十分に残させてくれる会社」に入ることです。まあ簡単にいえば、仕事以外に趣味やプライベートの人間関係、家族に時間が使える会社ということです。

こんなことを書くと、「新入社員のくせに生意気だ」なんて企業のお偉いさんから怒られそうですが、そんな風に怒っているお偉いさんこそブラック企業の経営者かもしれません。今はサービス残業も問題になっているのに、「自分が新入社員だった頃は全てを忘れて仕事にだけ打ち込んでいた」なんて思い出話を50代のオッサンに言われても聞き流すことです。なぜなら30年以上前はバブルで給料も良かったですし、今とは状況が違います。こんな発言を真に受けてしまってはブラック労働の餌食になるだけです。

ここで私が日本に来たばかりの頃に受けた就職面接のことを書きたいと思います。東京都内の語学学校にドイツ語講師として応募しました。学校自体は日本人が経営していましたが、ドイツ語部門のトップはドイツ人で、面接官もその人でした。気軽な雰囲気の面接でとても居心地が良かったことを覚えています。筆者は当時若かったこともあり、「緊張しないでくださいね」などとドイツ語で励まされ、終始リラックスできました。ところがそんなさなか、隣から怒鳴るような大声が聞こえてくるではありませんか。

実は私が面接を受けていたのは大部屋の一角で、私とそのドイツ人の面接官は向かい合って座り、我々の横には仕切りがありました。大声が聞こえてきたのは、その仕切りの向こう側からです。つまり同じ部屋の中のことでしたからハッキリと声が聞こえるわけですが、それにしても大音量でした。「あれ…何だこれ？」と私は違和感を覚えたのですが、そこでド

イッ人の面接官は言いました。「我々の部署はロッカー（ドイツ語で「気軽」の意味）に仕事をしてるんだけど、同じ会社の日本人の面接はこんな感じでね…」と。そう言いながら彼は、仕切りの方向を指しました。

　怒鳴り声の主は女性面接官で、「自己紹介はもっと大きな声でお願いします!!」とキンキン耳に響いてきました。それに答える学生の自己紹介の声も負けず劣らず大きいこと。「一体何の発声練習なのかしら、もしかするとオペラ？」と思ってしまうほどの音量でした。

　向こう側の日本人の集団面接は、こちら側とはまさに別世界でした。なんせこちら側は、面接官とのあくまでもざっくばらんな会話の中で自分の経歴を紹介する程度ですが、向こう側の人たちは、「私がこの素晴らしい会社に貢献できること」といったテーマのスピーチをそれはすさまじい音量で行うわけです。そんな殺気立った雰囲気に仕切り越しとはいえビビってしまった私ですが、こういった場をみて「若者らしく元気がいい」などと言ってしまうオッサンが日本にはわんさかいます。

ヨーロッパ育ちで日本に来たばかりの私は、「自分がいかに会社に貢献できるか」をあんなに大真面目に話すのは、失礼ながらちょっと仰々しいと思ってしまいました。社会福祉関連でも、一度に数億円が動くような業種でもないこの会社の新入社員は、顧客に外国語レッスンのチケットを売ることが主な仕事です。物を売るわけなので顧客の心をつかむことは重要ですが、一人ひとりが大声で叫んだり、その会社がいかに素晴らしいかを褒めたりするのは不要でしょう。

面接にしては不自然な音量と内容で、何かこう宗教じみている印象を受けました。後に、これは特別なことではなく日本の就活ってこんなものだよ、と教えられた時は衝撃でした。ともかく、仕切り越しに伝わってくる異様な雰囲気に戸惑いながらも、ドイツ人面接官との会話は和やかで私は無事その会社に入社したのでした。

入社後に見えてきたのは、同じ会社であっても「部署によって雰囲気はまるで違う」ということです。私が入ったのは、外国語講師の部署でしたので、そこでは外国人が多く働いていました。私はドイツ語講師でしたので、直属の上司はドイツ人でした。ドイツ語の他には英語やフランス語の先生がいました。英語を教える人の中には、イギリス人もいれば、アメリカ、オーストラリア、ニュージーランドなどいろんな英語圏の国の人がいました。フランス語については、フランス人のヘッド・ティーチャーの判断でアフリカやアラブ系移民のバックグラウンドを持つフランス人を積極的に雇っていて実に多様でした。そんなこんなで、欧米人がたくさんいる部署というのは、体育会系的な雰囲気とは無縁です。

「営業成績掲示」の衝撃

ただ、学校のトップが体育会系的な日本人だったので、ちょっと油断すると、我ら外国人の部署もその根性論に脅かされそうになることはありました。でもその都度、欧米圏の上司たちは跳ね返していました。

たとえば、その会社では従業員が病気で休むことを「病欠」とは言わず「突発」といい、あたかも休んだ人に非があるかのような表現が使われていました。

ある時経営陣の日本人から、「外国人の先生が休む場合は、代わりの先生を見つけた上で会社に連絡すべきだ」という指示が下りたようなのですが、欧米人の上司たちが団結して「代理を探すのは会社側の仕事であって、病気で休む先生の仕事ではない」と突っぱねてくれました。おかげで、我々下っ端の先生が病欠する際、代わりに授業をしてくれる先生に自ら電話しなければいけない義務を免れたわけです。

そう考えると、たとえブラックな要素がある会社であっても、部署によってはそうでないこともあるので、「あの会社はブラック」と決めつけるのは尚早かもしれません。会社によって、「あの部署はブラックだけど違う部署はそれほどでもない」なんていうことは結構あります。ただし「病欠」の例のように、本来はブラックな会社の場合、経営陣からの無理な要求にきちんと「ノー」と言える上司が部署にいることが、そこに長く勤めるためには不可欠です。

感じ悪く聞こえるかもしれませんが、その部署をまわす人が欧米系の場合、部下が極端に変な働き方をさせられる可能性は非常に低いと言えるでしょう。もちろん可能性はゼロではないですが、なんせ欧米人には「会社のためならどんな苦労でもする」という考えの人は少ないのです。

また、その部署に欧州系の「平社員」がいれば、その人が「会社のためには滅私奉公が当たり前」という考え方をする可能性はかなり低いです。そういった点に着目してみると、「その会社に長く勤めている欧米人がいるか」というのは、その会社がブラックであるかどうかの「目安」になると思います。

語学学校の話に戻ると、自分とは別の部署の日本人スタッフは疲れ果てていました。違う部署とも多少なり交流があったため知ったのですが、そこのスタッフから聞こえてくる「ふとしたひと言」に驚いたものです。何気ない会話の中で女性同士が「昨日も帰れなかったし、今日もたぶん帰れないよねー」と話していました。つまり徹夜ということです。顧客に語学レッスンのチケットを売るためのノルマが厳しく、毎月「今月は誰々さんの営業成績が一番！」というふうに成績が貼り出されるため、ものすごいプレッシャーのもと働いていました。

そのチケット販売の部署には「誰が見ても美人」のスタッフがいたのですが、ある時別の女性同士の会話で「誰々さんはきれいだから、おいしい思いをしているよね」という会話が聞こえてきました。その美人スタッフは数か月連続で営業成績が一番だったらしいのですが、いつ見ても「一人」であまり他の女性社員とはツルまない感じの人でした。その人が単にツルむのが好きではないのならいいのですが、もしかしたら待遇などをめぐって社員同士で壮絶な闘いが繰り広げられていたのかもしれません。それにしても、ニッポンの営業の現場ではよく見かけますが、「営業成績を貼り出す」のも欧米人にとっては衝撃的です。

外国人講師に関しては、服装の面で最低限の身だしなみやマナーを守っていれば良かったのですが、顧客にチケットを売る日本人女性はいわゆる「女子力」が高く、全員がキラキラしたお洒落をしていました。見ているほうは楽しかったのですが、あれほど家に帰れないような日々で「キラキラ」の演出も大変だっただろうな…と、いまさらながら複雑な気持ちになります。

美人が多い会社に気をつけろ

いくら仕事とはいえ、「疲れていることが他人に分からない見た目でいなければいけない」って、相当しんどいことです。つまり言いたいのは、キラキラした見た目の女子が多く在籍しているからといって、「その会社がブラックではない」という判断はできないということです。キラキラした感じの人を見るとつい元気で余裕のありそうな印象を受けるのですが、実は目に見えない独自の「キラキラ強制」などがあることも多いですから、女性は特に気をつけたほうがいいでしょう。

たとえば電通で自殺に追い込まれた高橋まつりさんは、男性上司に「髪の毛ボサボサ」と言われるなど、見た目に関するダメ出しを受けていたといいます。激務にもかかわらず、女性に対して「見た目がキラキラしていること」を求める男性がニッポンの会社では一定数います。

会社のトップの男性が、「社内の女性はみんな美人できれいであるべき」という方針の場合もあります。そのため、美容系の会社でもないのにやたらと若い美人が多く、全員が身なりもキラキラしている場合、「上がワンマン」な会社である可能性が高いと言えるでしょう。

前述の語学学校は私がやめただいぶ後に経営破たんしました。現場の人が私生活を顧みず、会社のためにと頑張って体力も気力も消耗しているというのに、社長が無駄遣いを繰り返した結果の倒産でした。チケット販売の部署にいた彼女たちが次に入社した会社がブラックではなかったことを祈るばかりです。

「怪しいワード」集

先ほど、外国人が多く在籍する部署はブラックな働き方ではなかったと書きました。ただ

レストランのトイレ個室に掲げてあったアルバイト募集の怪しい貼り紙

これも正確ではないかもしれません。というのも、同社が経営破たんした際に話題になったことなのですが、この会社は外国人の社会保険料を払っておらず、講師たちは自力で保険に入らなければなりませんでした。残業はほぼゼロで、早朝出勤や徹夜などもありませんでしたが、健全な会社の前提条件とも言える保険料でケチっているのは、やはり本質としてはブラックだったのかもしれません。

このように「ブラック企業」の特徴は必ずしも労働時間の問題だけではなく、健全な会社なら普通にやっていること、ここでの従業員の社会保険料を支払っていないということなども含まれます。たまに聞く、「会社で使う文房具は各自持ってきてください」というのもプンプン臭《にお》います。「業務で頻繁に電話をしなければならないが、会社から携帯電話は持たせてもらえず常に自分の携帯電話で連絡をしている」なんていうのも典型例です。

先日、友達とランチで出かけたお店でトイレに行くと、個室の中にこんな貼り紙がありました。

そのレストランのホールスタッフやウエイターのアルバイトを募集する貼り紙だったのですが、たかがアルバイトを募集するのに「情熱」や「継続力」、果ては「野心」まで求めてしまうところに、体育会系的な「闇」を感じました。

アルバイトの応募者にとって必要な事項、たとえば「時給がわずか９００円台であること」を掲示せず、たいそうな目標を挙げていることはブラック求人の謳い文句の特徴です。

この貼り紙を見る前から何回かこのお店でランチをいただきましたが、南国的な内装や料理の味は気に入っていたものの、店員の叫び声がうるさいのが気になっていました。というのも、私が日本語で「すみません」と店員さんに話しかけると、みんな何かのスイッチを押したかのように「イエス！」と英語で叫ぶのです。きっとそのお店のマニュアルに、「客に話しかけられたら威勢の良い英語でイエス！　と叫ぶこと」と書いてあるのでしょう。

トイレで体育会系的な求人広告を見て以来、この店のことがいろいろ知りたくなりリサーチしていたら、運よくこのお店でアルバイトをしていたという女性に話を聞くことができました。彼女によると、このお店でのバイト中に普通に歩いてホールでサービスをしていたら、

「タラタラと歩くな!」と店長に蹴られた(!)んだそう。それを知ってからは、お店に通う気にならなくなってしまいました。

付け加えるなら、冒頭の貼り紙で「才能」「情熱」「継続力」「野心」の横に表記されている英単語がなんとも怪しく感じました。というのも、"talent""passion""endurance""ambition"は、企業の大プロジェクトやアスリートのトレーニングなどに適したニュアンスを持ち、「飲食店の900円台のアルバイト」には全く似つかわしくありません。さらに面白いと思ったのは、一番下の「元気・笑顔は当たり前」には英訳がついていないことです。かつてのマクドナルドの「スマイル・ゼロ(円)」のように、「笑顔や元気で客をもてなすのは当たり前」という発想は欧米にはないので、そもそも翻訳できないのでした。それにしても「笑顔・元気は当たり前」って、店長から蹴られた話とセットで考えると、なんだか怖いフレーズです。

もちろん募集広告や看板、貼り紙でその店や会社の内情が全て分かるわけではありませんが、体育会系にドップリはまったブラックな企業の餌食にならないためには、以下のようなキーワードを含んだ募集広告には注意したほうが良さそうです。

・「やる気」（例「あなたのやる気をスタッフ一同お待ちしています！」）

・「能力」（例「能力次第でどんどん稼げちゃう！」基本給の記述がないのは怖い）

・「家族」（例「家族のようなアットホームな職場です」意味は「本当の家族との時間は持つな」）

・「夢」（具体的な時給や待遇よりもアバウトな「夢」を語ることで過酷な労働環境を隠ぺい）

・「野心」（野心があれば、これぐらいのこと〈怒鳴る、蹴る〉は耐えられるという意図で使用）

・「情熱」（カネではなく「心」や「気持ち」で動け、という意図で使用）

公用語を「英語」にしても中身は同じ

数年前に社内の公用語を「英語」にした某大手会社。外国人も多く募集しています。実際に、そこで働く外国人も増えました。ただし定着率は低いです。社内公用語が「日本語」から「英語」になったからといって、その会社が「国際的」になったわけではありません。むしろ昔ながらの体育会系の気質がこの会社には変わらず蔓延し、その結果多くの欧米圏の社員には耐え難い雰囲気となっているよう。

この会社では、新入社員が週末ごとに踊りの練習に駆り出されていました。年末の忘年会シーズンに各社が舞台で芸を競い合うための練習です。踊りが苦手だろうが宗教上の理由で派手な格好はダメだろうが、新人の週末は踊りや演劇の練習でつぶれます。踊りの様子を写真で見せてもらいましたが、女性は肌の露出度が高い衣装も多く、もし社員にイスラム教徒の女性がいて、こういった踊りに参加できないとしても、果たして言い出せるのだろうか…と心配になりました。

職種は踊りや演劇とは無関係のいわゆるデスクワークなのに、新入社員は毎週末踊らされる。欧米人から見るとなんとも不思議で不可解なニッポンの会社です。ちなみにこの会社で踊りを取りまとめていた人は、「みんなで何かを成し遂げるのって楽しい！」と口癖のように言っていたそうです。学校の文化祭の延長のような気持ちなのだと想像しますが、この手の団結至上主義は社員を疲れさせます。土日も踊りに駆り出されればまさに社員が心休まる時間はありません。まさに体育会系だと言えるでしょう。

この会社には週に一度「朝会」なるものがあり、ここへの参加は社員の義務です。ここでは社員が今週の目標を言わされるといいますが、つるし上げのような場面もあり、「社内公用語を英語にした会社は国際的だ」と言ってしまうのは短絡的です。

ある時、筆者がその会社に勤める外国人女性アンナ（仮名）と週末に都内のカフェでお茶を飲んでいたところ、アンナの携帯にひっきりなしに「先輩」からLINEメッセージが入ってきていました。

見せてもらうと、「このあいだの○○の案件についてアンナがどう思うか感想を書いて送ること」と指示を出す先輩。アンナが「先日の案件ですが、項目1はこういった理由かららいいと思います。項目2についてはこの理由から違うやり方がいいのではないかと思います」と書いて送ったところ、先輩から「そうやって意見を否定するのは先輩に対して失礼だよ」などと書かれたそれは長いお説教メールが届きました。

週末に後輩のプライベートなLINEに延々とお説教を送ってくる先輩社員。これって立派なパワハラだと思うのですが。ちなみに英語が公用語なのに、LINEのお説教はなぜか日本語で書かれていました。

とにかく叫ぶのが好き

これは私サンドラの体験談です。20年くらい前、東京にあるドイツレストランでウエイトレスのアルバイトをしました。経営者はヨーロッパで長年修業をした日本人ですが、店の雰囲気はどこか体育会系でした。

レストランでは、ウエイトレスがキッチンホールの人に伝票を渡す際に、「お願いします」

を意味するドイツ語「ビッテシェーン」（"Bitte schön"）を大きな声で叫ばなくてはならない、というルールがありました。

でも実は、ドイツには「ビッテシェーーーーン!!」といった感じで叫ぶ習慣はありません。

日本語の「お願いしまーす」は、多少叫んでも「元気がいい」「明るい」という印象ですが、同じ事をドイツ語でやっても違和感があるだけです。ドイツ語「ビッテシェーン」は、何かモノなどを差し出す時に、相手の目をしっかり見て、軽くうなずきながら少し微笑み低めの声で言うものです。決して大声で誰かに対して、叫ぶものではありません。

意味や習慣をそのまま他の言語に移せないことはよくあります。ヨーロッパの感覚だと、「叫ぶ」のは非常にアグレッシブに聞こえ、「意味もなく大声を出している」というふうにとらえられてしまい、軍隊を思い出させます。ところがこの経営者は、大声で言う「ビッテシエーーーン!!」がなぜかドイツらしいと勘違いしていたようです。

私はこのルールが嫌で嫌で仕方ありませんでした。そのドイツ料理店では本格的なドイツ料理を出していて味は確かだったため、ドイツ人のお客さんも多く訪れていました。そこで私が体育会系ニッポン人のオーナーが求めたように「ビッテシェーーーン!!」とキッチンに向かって叫ぶと、ドイツ人客は例外なくギョッとした表情をしました。「ビッテシェーン」のあまりにも場違いな使い方に戸惑っていることがその顔に書いてありました。

言葉や文化というのは面白いもので、それ特有の「雰囲気」や「空気」があります。長年その国や文化に接してようやく「ああこうなんだ」と分かるものです。ピンポイントで単語だけを覚えてきて、独りよがりの発想のもとそれを使うから変なことになるのです。なんでもかんでも「でかい声で叫べばいい」というものではありません!

外資系もブラックなことがある

　では、果たして外資系の会社が「ブラック」と無縁かというと、そうとも言い切れません。確かにニッポン特有の「みんなで団結して会社のために滅私奉公！」といった分かりやすい根性論は外資系企業ではあまり見られません。ただ、「操りやすい人材を好む」という傾向に関しては、一部の外国の会社もホメられたものではありません。

　ある外国の航空会社は世界中から客室乗務員を雇っていますが、クルーをよく見てみると発展途上国出身の人が多いです。というのも、その会社では他と比べると体力的にキツいシフトを組んでいます。また、女性の客室乗務員が結婚すると仕事をやめるのが当然だという考え方がなされているようです。その他も、規則や価値観の面でブラックな要素が見られるため、発展途上国の人でないと長期間我慢して働くことができません。

　発展途上国の出身者は母国にいる家族に送金をしなければならないなど弱い立場にいることも多いため、我慢せざるを得ないのです。ところが先進国出身の人は仕送りをすることはありませんし、ブラックな労働条件には不満を持つことも多いのです。会社からしてみれば「面倒くさい人たち」です。したがって残念なことに、文句を言わず操りやすいから発展途上国の人を中心に雇っているということです。

たとえばある社長が「発展途上国の人を優先的に雇う」と発言すれば、日本人はよく「なんて素敵な社長さんなんだろう」という感想を持ちます。でも実際は、「会社に文句を言えない人を雇いたい」が本音である可能性も高いのですから、そこに入社した発展途上国の人が本当に人道的に問題なく働けているのか冷静に観察したほうがいいでしょう。実習生のように、「発展途上国出身者」という弱みにつけ込んだブラックな働き方をさせられているかもしれません。ニッポンの雑誌やメディアは何かと「社長の言葉」を取り上げるのが好きですが、基本、その言葉を鵜呑みにしないことです。

技能実習生というブラックな制度

日本の体育会系的な「闇」が顕著にあらわになるのは、アジア圏などからの技能実習生に対してです。彼らを朝から午前２時まで働かせたり、給料を２か月に一度数万円程度しか支払わなかったり、２年間の支給総額が２００万円にも満たなかったりと、「時間」と「お金」のどちらの面でもあり得ないことばかりです。

特に給料に関しては、本当にえげつないです。たとえば静岡県では県の最低賃金が８５８

円であるにもかかわらず、静岡の工場で働いていたある中国人技能実習生は夜の６時以降の残業代が時給３００円でした。朝８時から深夜12時まで働いて月の手取りはわずか10万円です[*10]。

中には、仕事中に負傷したのに「ＢＢＱで怪我したことにして」と上司に言われ、労災が下りなかった外国人実習生もいます。18年11月の野党合同ヒアリングでは、段ボール工場で機械に手を挟まれ指３本を失った中国人技能実習生の男性・黄世護さんが、「重傷を負った私に対して工場は『解雇の書類にサインしろ』と何度も私に迫りました。指を失った私が使いものにならないからでしょう。私は物じゃないですよ。人間です」と語り、涙を誘いました[*11]。

黄さんは自分の話を公にするチャンスに恵まれましたが、実際に仕事中に怪我をした技能実習生が強制帰国させられることもあるといい、表に出ていないケースが多々あると思われます。さらには「建設作業員として働く」はずが「除染作業」をさせられたりと、技能実習

＊10　https://toyokeizai.net/articles/-/249948?page=2
＊11　https://toyokeizai.net/articles/-/249948

生に対する卑劣な行為には枚挙にいとまがありません。[12]

厚生労働省によると、14年～16年の間の3年間で労災による死亡と認定された外国人技能実習生の数は計22人で、これは国全体より高い比率[13]です。

ではなぜ経営者がこうした残酷な扱いをしてしまうのかを考えると、雇う側の中小企業の経営が大変苦しいという点が挙げられます。そのため、「賃金をなるべく低く抑えよう」というインセンティブが働きます。

でも、もっと大きな要因としてここでも「体育会系気質」が関わっていると私は思うのです。そこには「貧乏な国からやってきて、日本でメシが食えるだけありがたいと思え！」「働かせてもらっていることに感謝しろ」というような上から目線の発想が根底にあると思います。ニッポン流の精神論に「人種差別」がプラスされた感じです。

なぜこのようなことが人権侵害に当たるということに思いが及ばないのかというと、私はその一因に「日本の学校」があると思います。小中高と、暑いのに決められた時間にしか水を飲むことを許されなかったり、生まれ持った髪色のまま学校に通うことを許されず黒に染めさせられたり、極寒なのにマフラーやコートを身につけてはいけなかったりと、「人権が無視されることが普通」という感覚のなか多くの人が学生時代を過ごしてきたわけです。そ

のため、「どういうルールが人権侵害に当たるのか」を理解しないまま大人になってしまう人が少なくありません。

これが「人を規則でガチガチに縛る」ことに全く罪悪感を持たない経営者がいることの要因ではないでしょうか。技能実習生に対して、パスポートを取り上げたり[*14]、「恋愛禁止」を言い渡したり、「妊娠したら国に帰すぞ」と脅したりなど、「ルール」の名のもとに様々な人権侵害

*12　https://toyokeizai.net/articles/-/249948?page=3
*13　https://www.nikkei.com/article/DGXMZO25669590U8A110C1CR8000/
*14　https://news.yahoo.co.jp/byline/konnoharuki/20191110-00150307/?fbclid=IwAR1ZK6NMEoLbnGefIIAtQrwv9zPHiStVSvwLQ7n9vzV-uvIPCBQz08PrMfk

が行われています。

ニッポンの高校では、「女子生徒は妊娠したら退学」というようなことが行われているので、そうした価値観のもとで育った人からすると、「外国から働きにやってきた女に恋愛や妊娠を禁止して何が悪いんだ」ぐらいにしか感じないのかもしれません。技能実習生の住居についても、狭い部屋に二段ベッドがいくつも並び、戦後のタコ部屋のようなものが少なくありませんが、特に問題視されていないようです。

「日本人は優しいから」というのが口癖の日本人が最近やたら増えた気がしますが、技能実習生への扱いを見ているとブラックジョークにしか聞こえません。

パワハラ自殺大国

外国人技能実習生だけが理不尽に悩まされているわけではなく、多くの日本人さえも苦しんでいるところにニッポンの闇があります。先日もツイッターにこんなつぶやきがありました。[*15]

始業の10分前に行ったら「遅い」と言われて　若手は40分くらい早く着いて出社する先輩

方に挨拶しろってさ　もちろん勤務扱いにならないからお金にもならない　1週間にすると3時間20分を無駄にしてる　働き方改革で新しい制度作るのもいいけど、こういう悪しき文化に切り込むべきよ

私はこのツイートを読んで、ああ日本的だなと思いました。私の出身のドイツでも就業時間の前に出社する人はいますが、「若手だから」「新人だから」「先輩に挨拶するために」早く出社するわけではありません。ドイツで就業時間前に出社する人というのは、「席についてからゆっくりコーヒーを飲みたい」などの理由からです。

ところが日本の場合は、「業務で社員が合理的な時間の使い方をしているか」よりも、「先輩よりも早く出社している」というのがポイントなのです。しかしツイートにもあるように、チリも積もればで、先輩を立てるために毎日40分も早く出社していれば1週間で3時間20分です。これが1か月続くとなんと12時間以上のサービス残業になってしまいます。ビジネスの場に、「お前は後輩で新人なのだから、無償で働くことを習慣にしろ！」という精神論を

＊15　https://twitter.com/kyokosakaino/status/1195108020780273664

持ち込むのは体育会系企業の常套句です。

日本で生活していると、「行き過ぎた体育会系はニッポンを滅ぼす」と感じることがたびたびあります。先日はこの国を代表する企業トヨタで、社員が上司にパワハラを受け自殺しました。２０１９年9月11日、豊田労働基準監督署（愛知県豊田市）はこの件を労災認定しました。

遺族側の代理人である立野嘉英弁護士によると、被害に遭った男性は15年4月に入社し、間もなく直属の上司から「死んだほうがいい」「なめてんのか、やる気ないの」等の暴言を浴びせられるようになったといいます。被害者の男性は地方の大学を卒業した後、東大大学院修士課程を修了していますが、その件について上司は「学歴ロンダリングだ」と侮辱したといいます。

男性は適応障害を発症し入社翌年の夏から3か月間休職していましたが、会社に復帰後もこの上司と近くの席に座らされたといいます。その後、男性は「死にたい」と周囲に漏らすようになり、翌17年10月末に社員寮で自殺しました。

この件、本人や遺族にとって痛ましいのはもちろんですが、会社に貢献する「優秀な人材」をイジメによって失ったという点においても最悪です。トヨタは世界的な大企業なのに、イジメで自ら損失を出しているような会社なんだということが広く知れ渡ってしまいました。今後、外国人を含む優秀な人材が「トヨタに就職したい」と思わなくなるかもしれません。会社としての国際的なイメージダウンも免れないでしょう。

上司がどのような意図でパワハラをしたのかは分かっていませんが、もし部下が東大大学院修士課程を修了したことに対する「妬み」だとしたら上司失格ですし、そもそもこういった人間をコントロールできなかった会社に問題があったと言えます。また仮に、上司は「オレの時代はこういう部下の育て方が普通だった」と本気で思っているとしたら、それこそ「ニッポンの体育会系」の指導が最悪の結果を招いたと言えるでしょう。

この話で不可解なのは、適応障害による休職から復帰した社員を「パワハラを行った上司」と近い席に座らせたことです。会社側は復帰後にチームを変えるという配慮くらいできたはずです。そういった合理的な判断をせず、事態を放置していたことは大きな疑問です。

世界に名を馳せる企業でパワハラによる自殺が起こっては、海外の人材にとって「日本」は「働く国」としての魅力がますますなくなってしまいます。そういった意味では「体育会系」は日本の好感度に害を及ぼしているのではないでしょうか。

残念ながら、従業員を酷使する日本企業というのはトヨタに限りません。15年には電通で異常な長時間残業とパワハラの末に自殺した高橋まつりさんのケースが物議を醸しました。その後電通は、16年に「22時消灯」というルールを作りましたが、18年には営業関連の部署の社員に上限を超える残業をさせていたことが発覚しています。最長は１５６時間54分で、月80時間の過労死ラインのなんと2倍です。

また17年末には、三菱電機の子会社で月に時間外の残業を１００時間以上させられていた従業員が過労自殺に追い込まれたことが話題になりました。[16]

男性は上司から、「飛び降りるのにちょうどいい窓あるで」「自殺しろ」と言われたことをメモに残しており、19年10月に労災認定されました。

民間企業以外の役所でも過剰な労働時間を強いられるケースはたびたび見られ、19年11月には、労働時間が6か月連続で月に１００時間を超え、うつ病を発症し県庁近くの施設で16年11月自殺した神奈川県職員の男性の遺族が損害賠償を求める訴訟を横浜地裁に起こしたことがニュースになりました。直属の上司から怒鳴られるなどパワハラもあったと言われています。この件に関しては、神奈川県の黒岩知事が定例会見の中で「私も子を持つ親。彼を守り切れなかったことを心からおわびしたい」と語ったので、覚えている人も多いのではないでしょうか。[17]

「仕事＝自己犠牲」なニッポン

過労死が初めて問題になったニッポンのバブル期以降、世界では「日本人は仕事のためならハラキリのように命まで捨てる」と思われています。言うまでもなくニッポンにもマトモな企業はたくさんあるので、「ハラキリ」に関しては話が誇張されて、ある種の都市伝説のように語り継がれているのは否めません。

ただ火のない所に煙は立たぬで、その中にも一片の事実はあるのではないでしょうか。というのも、日本では「自分の命よりも仕事が大事」と口に出して言う人こそあまりいませんが、それはそう発言することが「ダサいから」というのが理由です。

実際には、有休を取れないことを「仕方ない」と容認していたりしますし、無理な残業で睡眠時間が減ってもこれもまた「仕方ない」と容認していたり、一人では処理できないような莫大な仕事量を「自分は頼りにされている」などと解釈して自分にハッパをかけながら頑

＊16　https://www.asahi.com/articles/ASMCP53YLMCPULFA025.html
＊17　https://headlines.yahoo.co.jp/hl?a=20191122-00000005-kana-soci

張ってしまい、その結果「死」が待っているというケースもニッポンには確実にあるわけです。「仕事を優先して、無理して頑張ってしまう」ことは気質として確かにあるので、「日本人は命よりも仕事」というのはあながち間違っていません。

日本の社会には「二足のわらじ」を許さない雰囲気があります。だからこそ、わざわざ「二足のわらじ」という言葉があるのでしょう。もし同時進行でいろんなことを極めていくことが日本で当たり前だと見なされていたなら、そもそも「二足のわらじ」といった言い回しは使われないはずなのです。

何かのために、別の物を諦めることが「潔い」という考えがニッポンでは強いため、ある時点までニッポンでは「結婚をするなら、女性は仕事を諦めるべきだ」とか「(男性は)仕事だけをすべき(家事や育児、趣味はダメ)」というような論がまかり通ってきました。まさに精神論の世界ですが、今一度振り返ってみると、上の人としては下の人に「諦めてもらう」ほうが単純に「使いやすかった」のでしょう。

ブラック労働は業種を問わず、たとえば「俳優」でも、昔から「親の死に目には会えないと思え」という教えのようなものが当たり前と見なされてきました。舞台を楽しみにしているお客さんのことを考えたらこれは分からないではありません。ただし「親の死に目には会えないと思え」は、実際にはスケジュール調整で間に合うこともあるのに、単に使う側が「休ませたくないから」といった理由で使う便利なフレーズになっていることも忘れてはいけません。

「頑張った」体験がブラックを引き寄せる

体育会系的な教育を受けてきた人は大人になっても、それがトラウマとして残ったり、少なくとも嫌な思い出として心に残ります。さらに問題なのは、そうした教育の中で変に上手くやってしまう術を身につけてしまうと、将来、似たような環境を無意識のうちに選んでしまいがちになるという点です。それはつまり体育会系的な雰囲気のブラックな会社に自ら近づいて行ってしまうということです。

ブラック企業に入ったために自殺や過労死してしまった場合、これについて「会社や組織側が悪い」のは当たり前です。実際に被害者の一部は、会社がこれほどまでにブラックとは最初は分からなかった、という新人です。入社前はその会社が「活気のある会社」「全員が団結して仕事に打ち込んでいる会社」に見えてしまい、昼夜仕事に打ち込む先輩を魅力的に感じることも多いのです。

プライベートな時間や余暇を大事にする欧米人にとっては最初から「あり得ない」と思うような働き方であっても、日本の小中高の体育会系な環境で育った日本人の目には、「社員がみんなで一つの目標に向かって努力している」とポジティブに映ってしまうことがあります。

実際にその会社に入ってみたら、仕事量が多くて長時間労働が毎日続き、睡眠は十分取れず、ブラックな人間関係にも疲れ果て、気がつくと仕事以外のことが何も手につかなくなる状態…ということになります。もちろん悪いのは会社なのですが、そんな環境に足を踏み入れてしまった本人に原因の一端を求めるならば、「子どもの頃からたくさん頑張ってきた」「部活や受験でいくつもの困難をクリアしてきた」という経験や自信が現在の自分にその会社を選択させた、ということに気づいていないことです。

もちろんそうではなく、「激務はなんとしてでも避けたかったけれど結果的に運悪くブラックな職場に入ってしまった」というケースもあります。でも、「小中高とずっとタフだったがために、大人になってからも多少のことは乗り越えられると思ってムリをしてしまった。その結果、ある線を越えてしまい、気がついたら身体も心も病んでいた」場合も少なくありません。

子ども時代から「たくさん頑張ってきた」生活がいつの間にか自分の人格の一部となり、大人になってからも、「タスクがいっぱいで、ノルマがたくさんある」ような環境に引き寄せられるということは確かにあるのです。

そのため学校と言わず、既に幼稚園の時期からなるべくブラックな構造とは無縁のところに通わせ、「ブラックでないところが普通」という感覚を子どもに身につけさせることが、その子のその後の一生にとって大事です。人間、大人になってから自らする「選択」は自由意思だと思われがちですが、無意識のうちに「子どもの時と似た環境」を選んでいる場合も多いからです。

話はやや逸れますが、父親に暴力を受けた女性が大人になりDVをする男性と繰り返し付き合ってしまうのはまさにこのケースです。わが子に幸せな人生を送ってほしい、と真剣に思っているならば、幼稚園や小学校を選ぶ際に「のびのび育つ」ことができるブラックとは無縁の学校をチョイスすることが大切です。

「辛い時には辛いと言える人になる」のは、大人になってから「いきなり」は難しいです。やはり子どもの頃からそういうことを言える練習が大事です。ニッポンでは比較的リベラルな大人であっても、子どもの教育となると、ひと昔前の思考に陥ってしまい「すぐに弱音を吐くような子にはなってほしくない」などと考えがちです。しかし、子どもの頃に弱音ばかり吐いていた子がたくましい大人になっている、なんていう例はいくらでもありますので、子どもだからといって変に「鍛える」必要は全くありません。

嫌われるのはラッキー

今思い出してみると、ブラックと思われる企業の面接を若い時に受けたことがありました。でも面接で落とされました。きっと会社側も、「この人には気合がなさそうだな」と見抜いてくれたのでしょう。

こうやって落とされることは悪いことではありません。落とされることでブラックな会社と関わらずに済んだとも言えます。会社側が断ったり、自分から入社を辞退したりと、嗅覚で互いを避けることで防げる悲劇もあります。言ってみれば、ブラック企業と「縁がなかったことが縁」なのです！

ブラック企業に限らないことですが、「しかるべき時に、しかるべき人に嫌われる」ということも人生において大事です。日本の教育現場では割と「誰からも好かれること＝良いこと」と教えていて、それも一理あるとは思います。でも次のシチュエーションを想像してみてください。大人になってから何らかの間違いでアンダーグラウンドな人と出会ってしまいました。そんな時に厄介な事態に巻き込まれる「前の段階」、つまりは初期の段階や初対面で、相手に「こいつは覚醒剤はやりそうにないな」とか「こいつに薬を売っても厄介なことになりそうだな」と思われれば、薬を薦められることはありません。

飛躍するようですが、ブラック企業に関しても基本は同じです。会社に「こいつは、どう見ても24時間働いてくれないな」と判断されればこっちのもの。上手くブラック企業との縁が切れることで、より良い会社との出合いが待っていることでしょう。

入社後から外に人間関係を

少し前までのニッポンでは、正社員として働く者（いわゆるサラリーマン）は自分の時間もエネルギーも全て会社のために使い、人間関係も「会社に始まり会社に終わる」というものでした。

飲みに行くのも会社の人、週末にゴルフをするのも会社の人…そういう生き方をしてきた男性が定年退職した途端、「周りに友達が誰もいなくなった」というのはよく聞く話でした。

かつては終身雇用という保障があったために、全ては会社の中で完結していました。デキる男性社員の部署には若くてよく気がつく小ぎれいな女性社員を配属したりして、それこそ会社が社員同士で結婚するように仕向けていたところもありますし（そしてもちろん結婚後女性は寿退社）、社員旅行に、取引先とのつきあい、普段の残業時間なども入れると、生活のほとんどが会社に使われていて、社外の何の利害関係もない人と交流する余裕はそもそもありませんでした。

とはいえ、日本経済が良かった頃は、本人に激務に耐えられるような体力があったり、退職金なども含めそれなりの給料をもらえていれば、それはそれで成り立っていました。ただその頃にも当然ながら自殺したり、残業が続いた社員が自宅の風呂で寝て溺れるなど過労死したりするケースも少なくありませんでした。しかし全体的に景気が良かったので、そんな「過労から風呂で溺れたお父さん」という個人よりも、「元気なニッポン経済」にばかりスポットが当たっていました。

しかしイケイケどんどんの時代は終わり、今ようやく「一個人としての生き方」が見つめられるようになりました。ワークライフバランスや、会社の外で人間関係を築くことの大切さも提唱され始めました。何十年も会社だけの人生を送ってきた男性が、定年後に人間関係が希薄になり社会で孤立することが問題視されるようになりました。孤立することでキレたり狂暴になったりする「暴走老人」も話題になっています。人生１００年時代、会社で何を成し遂げたかということよりも、その外の社会で自分の居場所が見つけられるかが大切だと考えられています。

終身雇用制度が崩れた今日では、「会社だけを生きがいにして自分の全てを捧げよう」と考える人は昔と比べてかなり減りました。仕事は適量にして、あとは家族などに自分の時間を使い、健康にも気をつけようというワークライフバランスが大事だと考える人が多くなってきています。会社の外で趣味に打ち込む人、資格を取るためにスクールに通う人など、自分の他の能力を伸ばすことも市民権を得ており、そういう意味では昔より人間らしい人生が送られているかもしれません。

リスクマネージメントというと、どこかビジネス的というか冷たく聞こえるかもしれませんが、「人生は私が主役」であり、健康を損なうとか精神を病むとか、そういった「リスク」から自分自身をなるべく遠ざける生き方をすることが、今の時代の人生の「リスクマネージメント」です。人生に気分転換や新しい風は必要です。何も会社をやめる必要はありませんが、最初から会社と並行しながら外でもいろんな人間関係を築いておきたいものです。

「副業」でストレスがなくなる⁉

近年の大きな動きは「副業」です。みずほFGなど大手も副業を解禁し、一つの会社や一つの業務に縛られない多面的な人材がポジティブにとらえられるようになってきました。

私自身も副業は賛成です。たとえば一つの仕事でストレスを抱えていても、他の仕事に向かい、そこでまた違うストレスに見舞われると、意外にも他の（前の）仕事のストレスが吹き飛んでしまう、ということは副業をしている当事者からよく聞くのです。

人間、不思議なもので、一か所で同じタイプのストレスをずっと受けていると精神的にこたえるのに、様々な場所で別のタイプのストレスを受けると、ダメージが緩和されることもあるのです。一つの仕事が良い意味で他の仕事の「逃げ」になっているのではないでしょうか。

私はパラレルキャリアという言葉が好きです。これはあることをするためにある仕事を諦めるという考え方の全く逆を行くもので、可能な範囲で2つの異なるキャリアを同時に進めることです。

ひと昔前の日本では、結婚や出産をしたら女性が仕事をやめたりと、「何か新しい目的ができたら、今までのことをスッパリ諦める」ということが潔いとされてきました。でも今は、このパラレルキャリアもそうですが、企業が一部とはいえ副業を認めたことで、そのような、「何かのために何かを諦めなくてはいけない」という考え方がどんどんなくなっており、むしろ「二足のわらじ」が歓迎されています。

ただ私は、「副業は許すけど、その内容や成果をわが社にこと細やかに報告してほしい」というような会社には警戒しています。社員の副業を認めるようになったある会社の社長が、「朝礼の時に副業のことを全社員の前で報告させている」と言っていましたが、私はこれはいったい何の罰ゲームだろうと思ってしまいました。朝礼があること自体が軍隊的なのに、そんなことを報告させられては情報漏えいの危険性も高くなりますし、社員にとって得なことは何もありません。

この社長からは、「会社では十分な給料が出せないから副業を認めるけど、社員が何をしているかは監視していたい」といういやらしさが透けてみえるのでした。「朝礼で副業のエピソードなどを報告させることで活性化を図っている」と言っていましたが、会社以外の事柄を他の従業員の前で報告させることはブラックな発想です。そこからは「自由を与えてやったからには、その分情報を開示するなりして会社に貢献しろ」といった不気味さを感じます。

会社の機密事項さえ漏らさなければ、さらにライバル社でなければ、基本的には「副業は自分自身のもの」だと思います。それを会社が「副業の内容をみんなに開示して情報共有させろ」というのは、従業員のプライバシーの面から言っても問題です。「みんなで共有」はあくまでもその会社のことだけにしてほしいものです。

何はともあれ、今や人生１００年と言われています。しかし、「次の１００年は大丈夫」と言われていた年金はもらえるかどうか怪しくなっています。もしも定年退職した後でも元気ならば、今まで副業でやってきていたことを生かさない手はありません。

昔ながらの終身雇用や年金制度が崩れかかっているのは問題ですが、一つポジティブなことがあるとすれば、間接的にではありますが、ニッポンの社会で「一つの会社だけで働くべき」という固定観念が消えかかっていることでしょうか。だからといって、年金はちゃんともらえるように国にはしっかりしてもらわないといけませんが。

あなたの「体育会系度」をチェックしよう

〈仕事編〉

- ☐ 風邪ぐらいで会社を休むのは、仕事をナメていると思う
- ☐ 20代は仕事で徹夜ぐらいするのは当たり前だと思う
- ☐ 新入社員が堂々と有休を取るのはいかがなものかと思う
- ☐ 仕事はやっぱり石の上にも三年だと思う
- ☐ 警察官が制服を着たままコンビニでランチを買うのはいかがなものかと思う
- ☐ いろんなことが上手くいかない人を見ると、活を入れたくなる

⇒３つ以上当てはまったら、あなたは気づかないうちにブラックな働き方の片棒を担いでしまっている可能性が高いです。まずは有休をしっかり取って、マッサージにでも行って自分を癒してあげましょう。

第3章　女性に冷た過ぎるこの社会

女性をナメているニッポンの会社

直接仕事とは関係がないことをルール化して社員を縛り、体育会系の雰囲気を作り上げている会社が日本では少なくありません。ただ、都会の企業よりも田舎の中小企業のほうがそうした傾向が強く「ビックリ規則」も頻繁に見られます。この国では女性をターゲットにした理不尽なルールが溢れているので、油断できません。

地方のある中小企業では、「女性の一人暮らし」を許していないのだそうです。就業規則などに書いてあるものではありませんが、ワンマン社長の方針で暗黙のうちの了解なのだとか。その理由は、一人暮らしできるほどの給料を女性社員には払っていないため、夜に水商

売などを始められて風紀が乱れると困るからなのだそう。ちょっとどこからツッコんでいいのか分からなくなってしまいました。令和の時代には、この手のワンマンオッサンにはどうか退いていただいたほうが、ニッポンの未来のためでしょう。

「これは法律に引っかかるだろう」という内容のものでも、ニッポンの中小企業ではその社独自のルールが蔓延していますから、雇われるほうは油断できません。ある会社では「体調不良や家庭の用事などで欠勤したら、その分他の日に出勤しなくてはいけない」というルールがあるのだそうです。

そこにかつて勤めていた女性に話を聞いてみると、これは社長が作ったルールではないのだとか。では、なぜこんなルールができたのかというと、何年か前にパートや派遣社員の数名がプライベートな理由で休暇をとるということが増えたため、それを申し訳なく思ったパートの一人が「水曜日に休む分、金曜日に出勤します」と申し出たのが発端でした。パート仲間や派遣、さらには社員や会社の経営陣からも大変ありがたがられたため、そのまま次の人も「自らそういった申し出をする」という流れになってしまいました。それがいつの間にかルールとして定着してしまったのだと言います。「暗黙のルール」であるため、会社の就業規則や契約書には記載されていないとのことです。こう考えてみると、昔、誰かが良かれと思って提案したことが結果的に「全員やるべきこと」として慣習化してしまうこともニッポンの会社の特徴だと言えるでしょう。ある意味、忖度をし過ぎた結果です。

ちなみにドイツはじめ欧米の会社に「暗黙の何か」がないわけではありませんが、それはどちらかというと社員に有利な「何か」だったりします。たとえばクリスマス会や社員のお別れ会を開く際は、午後3時など就業時間内にするといった感じです。

ところが、これがニッポンだと、雇われている側に「奴隷気質」が根づいているのか、「会社のためなら私はこれぐらい犠牲にしても大丈夫」というような提案を会社にしてしまう傾向があります。結果として「全員が大変になる」という悪循環が出来上がってしまうわけです。それにしても、本来は気楽な雇用形態を選んだはずの「パートのおばさん」でさえも、「休んだら他の日に出勤してカバーするのは当たり前」と思い込んでいるのって、国際基準で言うとスゴい話です。どんだけ責任感強いんですか！

次のルールは、セクハラが問題になっている今の時代にはむしろ潔いかもしれません。それは「女性社員（派遣やパートも含む）を飲み会や慰安旅行などの親睦行事に誘ってはならない。会社内で個人的に食事や旅行などに誘うのも不可」というルールです。欧米人の感覚からすると、ニッポンではそこまで細かく規定を設けないとセクハラを防げないのかと考えてしまいます。しかしこのルールは、会社がセクハラを根絶したいという強い意志が伝わってくるので良しとしましょう。

女性従業員の服装や身なりについて、「ここまで細かく言うのか」と呆れてしまう暗黙のルールのある会社もあります。これなどどうでしょう。「1週間のあいだに同じ服やスーツを着てはいけない」ちょっとビックリです。「器用な着回し」を社員に勧めているようにも聞こえますが、ちょっと余計なお世話です。それとも、そんなにたくさん服を買えるようなお給料の良い会社なのでしょうか…。疑問は深まるばかりです。

しかし、「これぞ体育会系！　理不尽で笑える」ルールはこれです！

「出張する場合は、先方との予定が何時に設定されていても始発の新幹線を使うこと」

着いた先で時間を持て余すだけですし、睡眠不足になるだけのような気もしますが…。ただ、これは女性社員だけでなく男性社員も対象というだけ、まだマシなほうかもしれません。

「女性がラクすること」に厳しい

毎年暮れが近づくと発表される「世界の男女平等ランキング」。19年、ドイツは１５３か国中の10位でした。一方のニッポンは１２１位。お尻から数えたほうが早い結果となってしまいました。この順位は日本として過去最低であり、今回ももちろんＧ７の中でダントツ最下位です。

ニッポンの場合、女性に大卒が多く、医療へのアクセスも良く、「教育・医療」の面で女性はあまり差別されていないという結果が出ています。もっとも大卒が多いとはいえ、医学部の受験の際、女性だけ減点されていたという騒動もありました。そんな課題は残るものの、今の時代、「女の子だから大学に行かなくても良い」と考える人はさすがにあまりおらず、広い意味で言えば日本の女性は教育面で恵まれています。

医療に関しては、たとえばイスラム教の一部の国の地域では、地域に男性の医者しかいなかった場合、「女性が男性に身体を見せるのは避けるべき」という考えのもと、身体の具合が悪くても病院に行かせてもらえないという現状があります。

一方、日本では、まさに男女関係なく誰でも簡単に医療にアクセスできます。特に都心では医者など選び放題ですし、幸いなことに「女の子が男性の医者にかかるのは…」などと考える親はあまりいません。もちろん、婦人系の診察にかかる時など、女性が自ら「男性ではなく女性のお医者さんに診てもらいたい」と望むケースはありますが、女医さんも多いですし、医療の機会について特に問題はないわけです。

その反面、政治家や企業経営者に女性が極端に少ないのは相変わらずです。こういった場で女性が少ない背景に、日本のビジネスや政界が男社会だということがあげられます。具体的な改善策は専門家の方に任せるとして、日本で生活をしていると感じることが一つあります。それは、他の先進国と比べて、ニッポンの社会は「女性がラクをすることに厳しい」ということです。

ニッポンでは「女性がラクになること」よりも「子どもがラクになること」「男性がラクになること」が優先されています。「前例を大事にする」というのも結局は、昔は今よりもさらに男尊女卑なわけですから「女性の要望を大事にしない」と同じことです。

日本で女性として生きていると、気がつけば「雑用を全部やらされていた」という場面がよくあります。ニッポンの社会というものは、会社でも家庭でも学校でも、とにかく女性に雑用をやらせたがるのです。

しかし、人間の時間とエネルギーは限られています。女性が社会のプレッシャーに負け、雑用ばかりに時間をとられ、実際はラクできることでも頑張ってしまえば、もともと自分がやりたかったことはできません。なぜならば、自分の将来のためにならないものにエネルギーを割いてしまい、大事な場面で「息切れ状態」になってしまうからです。

ここでは、ニッポン女性を取り巻く雑用の具体例に触れてみましょう。昔から女性に課せられていることを「しない」選択をした場合、周囲からの「雑音」がひどいのもニッポンの特徴です。それも併せて以下をご一読ください。

あなたを疲弊させる日常の罠

・食洗機

たとえば「食器洗い機」（通称・食洗機）。夫婦での家事分担の話になると、女性側の意見として「私が食事を作っているのに、夫は食器洗いさえしてくれない」というようなことも聞きます。それはごもっともな意見ではあるのですが、よく考えてみれば「食器洗い」は機械に任せればすぐに解決できそうな問題です。

もちろん「夫婦や男女の家事分担」に関しては、根本的な問題の解決が望ましく、「機械には頼りたくない」という気持ちは分かります。しかしケンカが増えるぐらいなら、機械に頼るのは大いにアリだと思いますし、実際にヨーロッパでは食洗機が広く浸透しています。

日本では、「お箸」が食洗機だと洗いにくいという問題は確かに残りますし、都心などでは住宅事情により、そもそも食洗機を置けるようなスペースがない場合もあります。

ただそういった事情を考慮するとしても、問題だと思うのは、日本には「食器洗いぐらい自分でやるべきだ」という雰囲気がまだまだ残っていること。そしてここで言う「自分」というのは「その家の女」を指しています。自分では食器洗いをしない夫が「食洗機などいら

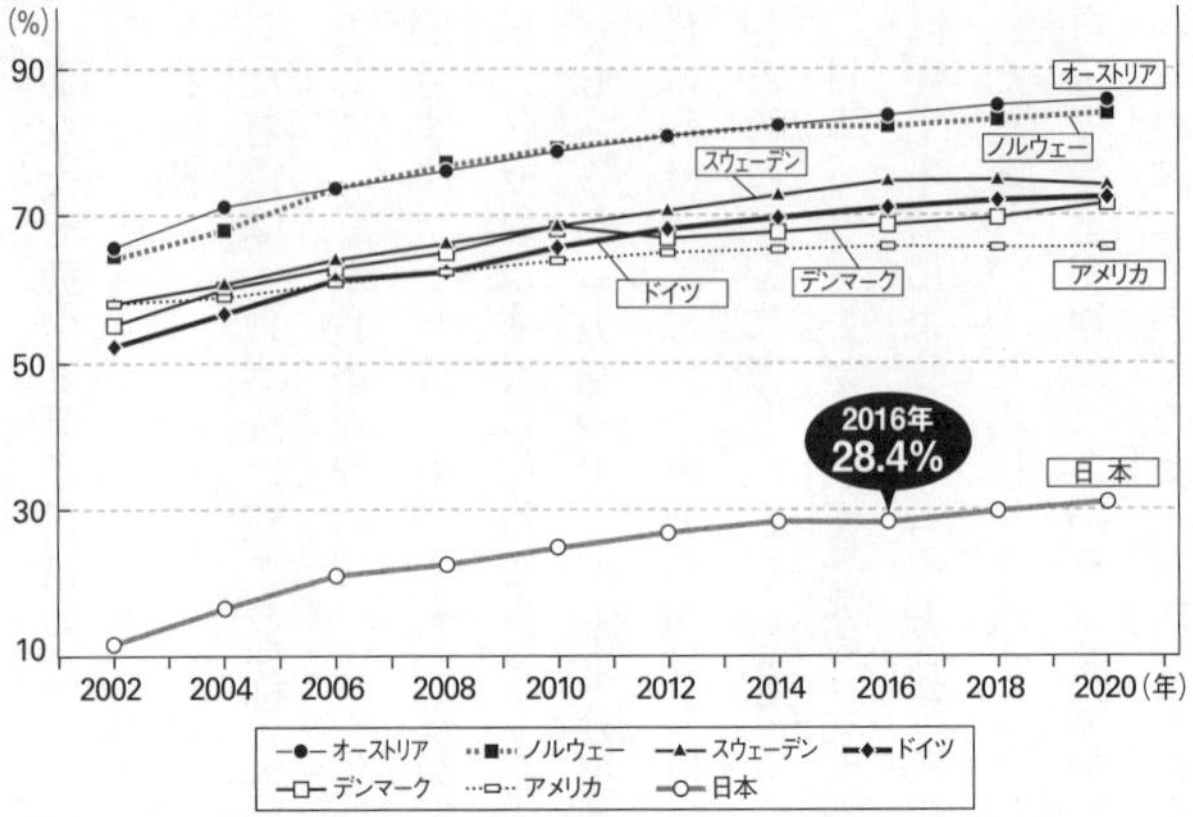

出所）ウェブサイト家電Watch「日本は食洗機後進国!? 食洗機を使った方がいい理由、しっかり説明します」より

図　食洗機の主要国の普及率推移

ない。それは自分（妻）がやるべきだ」というようなことを堂々と言えてしまうのがニッポンなのです。現実的に家が狭いから食洗機が置けないということ以前に、当事者でない人からの「それぐらい、女がやるべき」という声が幅を利かせているという現状があるわけです。

ここが非常に厄介なのですが、「食器洗いは女がやるべきだ」と直球で言う人ばかりではありません。「機械よりも人間が手でやったほうが、やっぱり洗い残しが少ない」などというふうにオブラートに包んで…でも結局は女にやらせる、という「手法」がニッポンではよく使われます。気がつくと女性も「そうね、食器洗いぐらいは私がやらなくちゃ」

と思い込んでしまいます。しかし、結局こういった細かい作業の積み重ねで、働く女性の疲労は増すばかりです。

・お茶出し

かつて保守的だったニッポンの企業も、最近は「お茶出しは各自で」というところが増えてきています。それこそ、ひと昔前まで存在していた「お客様には女性がお茶出しを」とか「男性社員の分のお茶は女性社員が出す」という「暗黙の了解」が崩れてきたのは良いことです。

そんな中でもたまに、びっくりするような発言に出合うことがあります。先日、ある女性と雑談をしていたところ、彼女は言いました。「男性って、トイレから出た後は、手を洗わない人が多いから、私はやっぱり女性が入れたお茶を飲みたいって思うなあ」と…。まあ一部の男性を観察していると、トイレの件は当てはまる人もいますが、この手の思考回路があるから男女平等はなかなか進まないのだな、なんて思ってしまいました。

この女性の言うことが仮に当たっていたとして、「男性が出すお茶は汚い」からと女性がお茶出しに精を出したところで、女性にとって「将来的に得なこと」なんて何一つありません。それどころか、大げさかもしれませんが、この手のことに真剣に取り組んでいては、男女平等からは遠ざかるばかりです。これ以上ランキングが下がってどうするというのでしょうか。

しかし、そのことには注目せず、先ほどの食器洗い機の件のように「なんだかんだ理由をつけて女性にやらせようとする」現象が今の日本にも確かに存在するのでした。残念なのが、決して自分のプラスにならないのに、女性もこの手の思考に巻き込まれがちであることです。

・家事代行サービス

働く女性の家事負担を減らそうと、家事代行サービスをやってくれる外国人に日本にきてもらう計画があるものの、実際のところ、欧米の国々と比べると、日本ではこの家事代行サービスを利用する人は思いのほか少ないです。ヨーロッパの中流家庭では、週に何回か数時間に分けて掃除のために家政婦さんに来てもらう「掃除代行」サービスをしばしば利用しています。たとえば毎週月・金に3時間ずつ掃除しに来てもらう、というような形です。

もちろん欧米と日本の文化の違いも影響しているでしょう。家事の負担が軽減されると分かっても、日本には「知らない他人を自宅に上げる」ことを躊躇する感覚があります。そして、これはまた前述の食器洗い機にも通ずることなのですが、「家のことぐらい自分でやろうよ」という考えがここでもまた幅を利かせているのでした。しつこいようですが、ここでいう「自分」とは結局は「妻や女性」です。

ドイツやスカンジナビアなどのヨーロッパ諸国では、今の時代「男性も女性も家事をやる」ため、「互いの負担の軽減のために家事代行を頼む」ことが少なくありません。しかしニッポンでは、どこか家事が「女性担当」という認識があるため、「家事代行」→「女性がラクしたいだけ」→「女性がラクするのはけしからん」という思考が世間でしばしば見られるのでした。

日本では「他人を家に上げる」ことに抵抗のある人が多い上、芸能人の神田うのさんの「家政婦さんに高級ブランドのバッグや貴金属を盗まれた」事件などが大きく報道されたため、「他人を家に入れるのは怖い」というイメージに拍車がかかってしまっています。しかし、口コミで信頼できると評価された人に家事代行を頼めば、このようなトラブルはむしろまれです。

ドイツではよく知り合い同士で、「良い Putzfrau（掃除の人）知らない？」と声をかけて情報交換をし、互いに代行の人を紹介しあったりしています。ここで言う「良い掃除の人」

というのは掃除や家事のスキルが高いということに加え、「盗みをしない信頼できる人柄」という意味もあります。

「他人を家に入れるなんて怖い」という感覚も、多くの人が代行サービスを利用すれば、知り合いからの紹介も増え安心できますし、「外部に頼んでいる」という後ろめたさみたいなものもなくなること請け合いです。

「自然分娩&母乳」教

ドイツを含め世界の先進国では出産の際「無痛分娩」が主流となっています。よく理由を聞かれるのですが、ズバリ「女性が痛い思いをしたくないから」です。ところが、ニッポンではどうしたことか、「痛いから無痛分娩にして」と言えないような雰囲気があるのです。

知人女性のＡ子さんは妊娠する前から、「もし将来子どもを持つことがあったら無痛分娩」と決めていたそうです。ところが、このことを口にすると、家族はもとより知人、医療関係者等ほぼ全員から「やっぱり、自然な形で産んだほうが良い」「なんでもかんでも欧米と同じようにやるのは違う」「お腹を痛めて産んだわが子だからこそ、後に子どもをかわいいと思える」と、普段はリベラルだと思っていた人たちからも、まるで昭和の姑が口にするようなことを言われたのだそう。ちなみに最後の「お腹を痛めて〜」は実の母親から言われたのだとか。

近年、日本国内で無痛分娩をした女性が死亡した事件が相次いだこともあり、世間では「やっぱり無痛分娩は危険なんだ」というイメージが固定化されてしまいました。しかし、無痛分娩がそれほど危険なものなのであれば、欧米諸国の中で無痛分娩がとっくの昔に禁止されているはずです。しかし、そういった話はいっこうに聞こえてきません。

実は日本での無痛分娩にまつわる事故は、「医師が無痛分娩に慣れていないから、経験不足でミスが起きた」というのが現状です。知識や経験のない医師が慣れない無痛分娩を行ったことの結果です。にもかかわらず、日本では、従来通り「無痛分娩は良くない」「無痛分娩は危険」だという声が主流だったりします。

そして、ここでもまた「根性論」がモノを言うのでした。それは「昔の人もそうやってきたのだし、子どもを産むのはそもそも痛いものなんだから我慢しろ」という前例主義を振りかざしたものです。でも私は、ニッポンの世間がこれほどまでに無痛分娩に対して厳しい一番の理由は「女にラクさせたくない」からだと疑っています。

なぜなら、医療において「自然であること」がそんなに素晴らしいことであるならば、

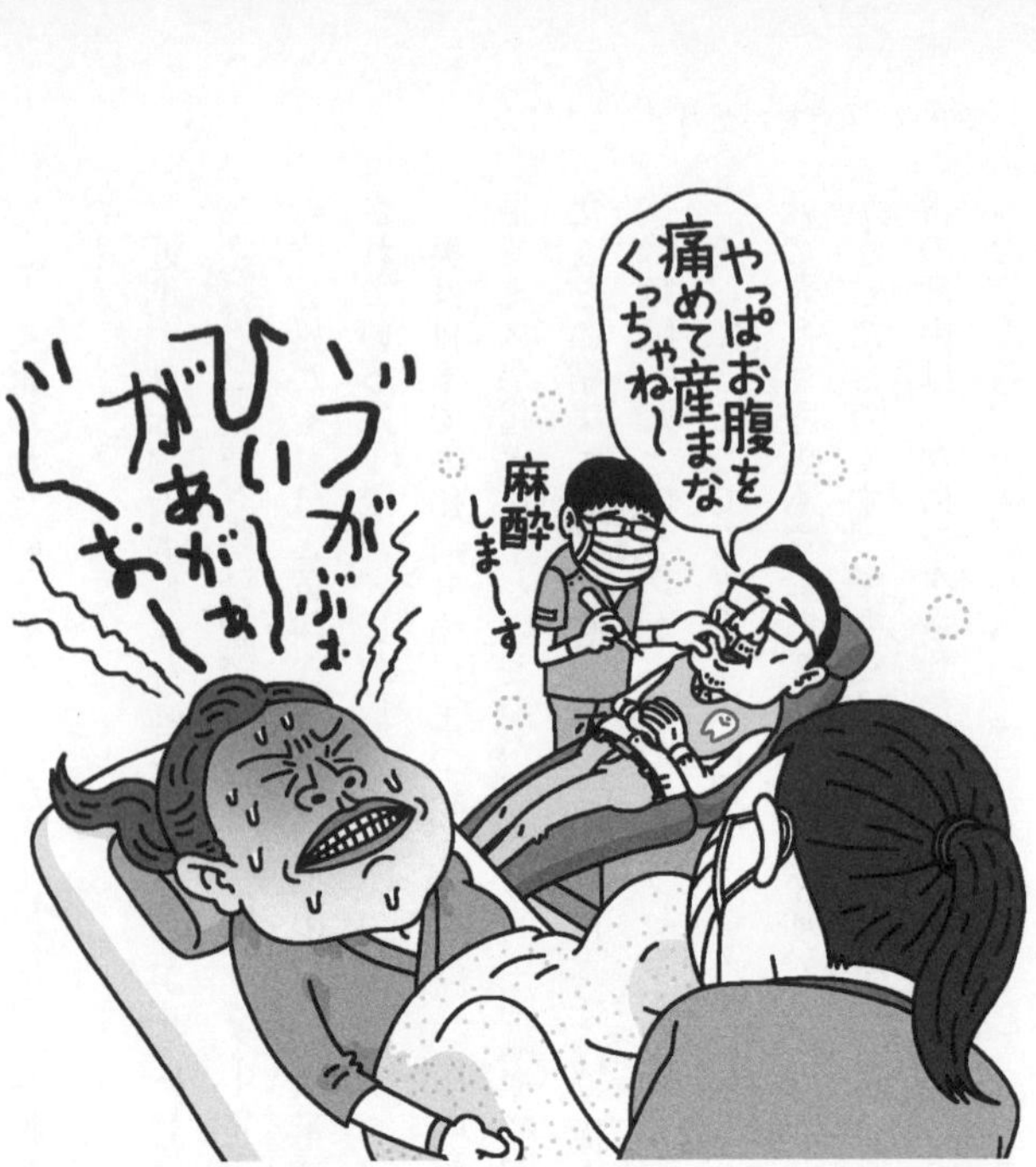

「虫歯の治療は麻酔なしで行われるべき」という声ももっと聞こえてきておかしくなさそうです。ところが、このようなことを言ってしまうと、男性も麻酔なしで虫歯の治療を受けざるを得ないような状況になりますから、たとえ虫歯の麻酔で子どもが死んでも「歯医者での麻酔」が問題視されることはほぼありません。

一部の男性、そして女性も洗脳されてしまい、とにかく女にラクさせるのはけしからん、女にラクさせるとロクなことが起きないと、何かにつけ「女に苦労」を押し付けることは残念ながら令和になっても、ニッポン社会の現実だということは知っておいたほうが良いかもしれません。

また、「お腹を痛めて産んだわが子だからこそかわいがることができる」という発言も、残念ながらまだよく聞かれます。しかしこの主張は矛盾しているのです。この論理でいくと、自分で出産も痛みも経験しない男性は、子どもを「ちゃんとかわいがることができない」ことになってしまいます。男性が親として除外されるのです。男性の育児参加が謳われている今、「痛みを感じないと子どもをかわいがることができない」と発言することは間違っています。

それにしても、ニッポンの「自然分娩」は、「悪い前例主義」とともに「とにかく女性が苦労することは素晴らしいことだ」という前提のもとに成り立っていて、21世紀の先進国として本当に女性として「ギャー」と叫びたくなります。

産後の話に移りましょう。世の中には母乳が出やすい人と出にくい人がいます。さらに、ここからが重要なのですが、「母乳をあげたい人」「市販のベビーミルクをあげたい人」と、お母さんたちには様々な考え方があるはずです。しかし、ここでもまた「子どものためには母乳が一番！」という声がニッポンでは何かと強いのです。とにかく母性がどうのこうのとやかましく、当事者である「お母さんの都合」などおかまいなしです。

念のために言うと、確かに母乳で育った子どものほうがアレルギーが出にくい研究結果があったりと、母乳の良さを実証しているデータも一部にあるものの、世の中「データが全て」ではありません。市販のミルクでアレルギーなしで元気に育っている子も世界中にたくさんいます。何よりも気になるのは、この母乳問題は無痛分娩と同じく「負担を強いられるのは女性」なのに、女性の声が何かとかき消されていることです。

このようにニッポンの社会には「とにかく女性がラクすることを快く思わない」層がいるわけですが、よく考えてみれば、これにノセられる必要は全くありません。「知ったこっちゃない」と自分が好きなようになんでも選べば良いのです。

そこを堂々と「私はみんなと違うやり方を選ぶ!」と公言するか、それとも「何も言わず、でも実は好きなやり方を選ぶ」かは女性のキャラクター次第だと思いますし、どちらでも良いと思います。大事なのは、「ニッポンの社会には女性に苦労させたがる闇がある」ということを自覚すること。そして、自分の選んだことについて周りからどんな「雑音」があろうと、それを無視する精神力を持つこと。そういう心構えがあれば、堂々と生きられるってもんです。

「夫の転勤」で女性のキャリアは終わる

ニッポンでは「会社」というものが「男性」を中心に出来上がっています。既婚の女性を時に悩ませるのは「転勤制度」です。基本的に正社員は転勤の命令に逆らえません。逆らった場合には出世が望めないばかりか、左遷される可能性もありますが、女性が自分のキャリアを考えた時に、何年かごとに旦那さんの転勤先についていく場合、女性のキャリアには不利なことしかありません。

ロマンチックでないことを書くようですが、もしこれを読んでいるあなたが女性で、単身赴任を好まない場合、あらかじめ転勤のない男性を選んで結婚したほうが良いかもしれません。もしくは「男なら会社の命令に従って転勤に異を唱えるな」という体育会系的な指令の会社に背いて、「引越しをしたくない」というあなたのために転職も視野に入れてくれる男気のある男性を選ぶこと。

残念なことに、「3年おきに旦那の転勤先が変わり、そのたびについていった」場合、女性のキャリアはよほど特殊な職業でない限り「ジ・エンド」となってしまいます。男女平等ランキング121位という結果は、日本の有無を言わせない転勤制度も一因となっているのではないでしょうか。女性が3年後に住む場所も分からない状態ではキャリアに不利ですし、経営陣になれるようなポジションにはつけないわけです。

また、「子育てを考えて仕事で小さく収まる」ことを目標にしてはダメ。「決裁できる立場の女性」が最も自由が利くということを認識しておいたほうが良いでしょう。

よく子どもがいたらパートのほうが時間の融通が利くから良いなどと言いますが、ヨーロッパと日本で合計44年間生きてきて周りの女性たちを観察して思うことは、「女性なら、仕事上、なるべく上のポジションを目指したほうが、パートよりも自由が利く」ということです。

女性が経営陣や上のほうのポジションになってしまえば、出勤や退勤時間などを自由に調整できる場面も出てきます。反対にパートの女性には出勤や退勤も含めて時間的なフレキシビリティーはあまりありません。もし将来子どもを持つのなら、「上」を目指したほうが時間のことも含め子育てはしやすいのです。

今、娘を育てている人は、なるべく娘に早い段階で英語を身につけさせ、将来日本がダメなら海外の企業で管理職になれるようにしたほうが、よほど選択肢が広がるということを念押ししたいと思います。女性は子育てを考えて、どうしても「仕事上、小さく収まれば良い」と考えがちですが、そうではありません。女性が「決裁できる立場」になれば、こっちのもんです。私ももっと早くこのようなことを自覚していたら、今頃企業の経営陣になり子どももいたかもしれません（笑）。

ニッポンの女性は一番「眠らない」

先述した項目以外にも、ニッポンの日常生活には「女性を疲労させる小さな縛り」がいたるところに潜んでいます。小さくても日々積み重なれば、間違いなく女性のキャリアに支障をきたすようなものばかりです。でも「睡眠を十分とって元気でいる」ためには、そこを自らの判断で「削る」勇気が必要です。

たとえば「手作り」というキーワード、そして「キャラ弁」。

「やっぱり手作りで自然なものが一番健康に良いわよね」「子どもが喜ぶことを考えるとキャラ弁はやっぱり必要よね」というのは正しいです。でも気になるのは、ここではお母さんの労力や疲労が全く考慮されていないこと。

健康のため、子どもの笑顔のため、と言えども、母親が万年睡眠不足となれば自身の健康にも良くないですし、「最小限の労力で済む」ことを優先すべき場面も少なくありません。

子どもを育てているお母さん方と話をすると「けっこう手を抜いてやっているのよ」とおっしゃいますが、外国で育った私のような人から見ると、ニッポンのお母さんは「寝なさ過ぎ」です。

なんたって、ドイツの幼稚園や小学校で子どもが持っていく食べ物といえば、タッパーウエアに入れたバナナやリンゴ、そして凝っていたとしてもサンドイッチで、ニッポンのお母さんのようにお弁当のために朝5時に起きる人はいません。

もちろんドイツと１００％同じスタイルをニッポンの学校でやってしまっては、子どもが浮いてしまうので、そのままコピーしてマネをすることは避けたいところですが、子どもを含め周囲の人に「海外のお弁当はバナナとリンゴとサンドイッチみたいよ」というようなことは繰り返し宣伝しても良いと思います。

お弁当作りのために朝5時に起きたり、全てを手作りするために、仕事が終わった後、キッチンで下ごしらえするのが暗黙のうちの「義務」になってしまっては、女性は疲労するばかりです。そして、ここが怖いところなのですが、「肝心なキャリアにはエネルギーが回らない」ことになってしまいます。

現に「家庭との両立が大変だから」という理由で、時間的にも業務的にも「もっと簡単」

な仕事に移る女性は多いものです。その原因が「ブラック労働」の場合でもあるのはさておき、「家庭での仕事が多過ぎる」ため、本来は頑張るべき外の仕事に支障をきたしているという場合もあります。

「家庭も大事にすべき」というのはその通りなのですが、キャラ弁や手作り料理だけがその全てではないはず。男女平等の世界ランキングを上げるためにも、まずは「家庭の疲れること」からサヨナラすることが第一歩だと思います。

さて、私が書いてきた「女性の疲労」という言葉を聞いて、「そんな大げさな」と思われる読者の方もいらっしゃるかもしれません。確かに発展途上国の農村で今も行われているような、「女性が水を汲みにバケツを持って井戸まで行く」といった「分かりやすい女性の重労働」は今のニッポンにはありません。その一方で、現時点でニッポンの働く既婚女性の睡眠時間は先進国の中で一番少ないのです。

つまり、「日常生活に女性がつまずく石ころがいっぱい置かれている」結果だと考えるのが自然です。日本の場合、厄介なのは、前述のような「バケツを持って水汲み」というような、女性に対する「分かりやすい負担」があるのではなく、どちらかというと、「日常のごくごく小さなことの積み重ね」が女性を疲労させていることです。さらに悪いことには、それは時に「キラキラしたこと」「女子力が高いこと」として持ち上げられている行為だったりします。でもその〝キラキラ〟を生真面目に追求すると疲労してしまうわけです。恐るべきサイクル。

政治家を働かせるには女性が「頑張らない」こと

ニッポンで求められがちな「キラキラしていること」という要素は、他の先進国には存在しません。考えてみれば、母親が子どものお弁当のために朝の5時に起きるのは他の先進国ではやらないことです。化粧だって、キレイに見える下地作りだとか、元気に見えるメイク等の雑誌の特集が日本では盛んですが、欧米では「すっぴん」がスタンダードだったりしますから、その分女性は疲労しないわけです。

ところで日本の一部の私立小学校ではしばしば「良妻賢母」が美化され、子どもの運動着や運動靴を入れるために、母親に何かと手製の布バッグを縫わせたがりますが、私立校を運

営している側は「令和の時代になっても昭和のお母さん像」を再現させていることが「121位」の遠因になっていることをそろそろ自覚してもいいのではないでしょうか。

しつこいようですが、一つひとつを見てみれば、それは子どものためだったり、そんなに大変なことではなかったりしますが、「チリも積もれば山となる」のように、エネルギーを使う小さいことが日々重なれば、それはやがて女性の大きな疲労につながってしまいます。

1日は24時間しかありません。「女だけに強いられる家事」だとか「お手製のナントカ」だとかに時間を割いてしまうと、その分睡眠時間が減るのは確実です。睡眠が短くなるのは健康に悪いのはもちろん、仕事のパフォーマンスも落ちるので、このような結果として長く時間を奪われる日常の雑事からは一刻も早く逃げるべきです。

よく「欧米の女性はどうやって仕事と家庭を両立させているのですか」という質問を受けますが、答えはズバ

り、こうした「雑事」がない点が大きいということです。ニッポンの男性から見ると、欧米の女性は「繊細さが足りない」とかなんとか言われがちで私としては悔しいところですが、「男性と同じく日常のチマチマにはこだわらない」ため、自由に仕事や子育てに打ちこめるというのもまた事実なのです。

まず認識すべきは、女性が頑張れば頑張るほど、政治家は頑張らなくなるということです。育児を全部女性が頑張ってしまえば、政治家が保育園を増やす努力をしなくても良くなってしまいます。他の件に関しても同じです。詳しくは後述しますが、女性がＰＴＡを頑張れば「これからも給料は出ないけど面倒な用事は女性に」というふうに世間の雰囲気が出来上がってしまいます。

そうすると、「日常の雑事が大変だから」と仕事をやめ専業主婦になったり、「時短」で働いたりと、本末転倒な結果になってしまいます。しかも、そのような道を選べば、世界の男女平等ランキングで順位が下がってしまうという悪循環つきです。

現役で元気なうちに、「女性が頑張れば頑張るほど男女平等ランキングで落ちる」という皮肉な現実を受け止めたほうが良いでしょう。そうすれば肩の力も抜けるというもの。別に何もやらなくたって良いんです！

PTAという大ボス

ニッポンには「女の敵は女」という言い草があります。しかし令和の時代は、「女の敵は女」と思わない女が勝ちです！　言うまでもなく、女性が生きやすくなるためには、女性が女性の味方であることが大事。活躍している女性がいれば、その人がさらに活躍できるように応援し、同性として「女性が活躍するためのハードル」をなるべく「なくしてあげること」が大事です。

決して「女性だから必ず女性に味方をしなければいけない」ということではなく、「世のスタンダードである男性社会に当たり前のように同調することをやめてみる」ということです。その上で、同調できる女性には味方をし、またこちらも味方になってもらうという「シスターフッド」は日本に今最も必要なファクターだと思います。

子育てを終えた世代の人は間違っても、「誰の手も借りないで私は子育てと仕事を両立してきた。私のほうが大変だったし、それでも全てこなせたのだから、今の母親は甘えている」などと言わないことです。

逆に、「自分の場合は、こういうベビーシッターを使っていた」など他の女性が参考にできそうなことはどんどん広めるべきだと思います。同性にハッパをかけるつもりで、「自分のほうが大変だった。あなたには頑張りが足りない」といった発言をするのは、間接的に他の女性に対して「気合でなんとかなる」というような体育会系的な考え方を強いていることになり、回りまわって自分も生きづらくなるので、なんとしてでも避けたいもの。

これからの時代は仕事でもなんでも「周りの女性がラクできるように」を目指すこと。自分も女性として協力すれば、結果的に自分もラクができます。仕事もプライベートもなるべく「ラク」を目指せば生きやすくなります。「ラク」を追求すると、気力と体力を温存している分、仕事という肝心な場で積極的になれます。「日常のチマチマ」があなたの活躍を阻むことを心得るべきです。

その「チマチマ」の代表例として、子どもが公立の学校に通っている場合、女性が避けて通れない問題。それはＰＴＡです。Parent-Teacher Association の横文字通り、もともとは戦後にアメリカ合衆国（米国教育使節団報告書）から入ってきたもので、教育を通じて日本の民主化の後押しになるようにと導入されましたが、70年以上経った今、それは…ニッポンの女性の足を引っ張るものと化しています。

こういうことを言うと、「そんなことはない！　自分はＰＴＡをやって良かったと思う」という反論が来るのですが、ＰＴＡにも良い面があることは否定しません。ただ、繰り返ししつこいようですが、「２０１９年男女平等世界ランキング」でニッポンが１５３か国中１２１位になった悲惨な結果を前に、女性たちは果たしてＰＴＡ活動に自分のエネルギーと時間を費やしている場合なのか、という話です。

というのも、ＰＴＡ活動は女親、つまり母親がやることが暗黙の了解になっています。Parent-Teacher Association の名の通り、本当は父親が参加しても良いわけですが、慣習的なもので「そこはやはり母親が…」というプレッシャーがニッポンのＰＴＡにはあるのでした。60年代や70年代の専業主婦が多かった頃の日本ならともかく、今は働くお母さんが増えています。それなのにＰＴＡには相変わらず「やっぱり母親が…」という文化が残っているといいます。

専業主婦が多かった時代の名残で、ＰＴＡの会合は多くが「平日の昼間」にひらかれます。しかし働くお母さん全員が「時間に融通の利く仕事」をしているわけではありません。そこで会社員として働くお母さんは苦しい立場に立たされるわけです。ニッポンの会社に勤めた経験のある人なら分かると思いますが、有休なるものが紙（つまりは契約上）の上では存在しても、現実には「取りづらい」雰囲気の職場は少なくありません。

契約上の有休は全部使い切るヨーロッパ人とは違い、日本人が有休を完全消化することはまれです。たとえばドイツでは病欠は有休から引かれず別枠であるため、ドイツ人は有休は基本的に長期の旅行などのために全て使い切ります。

しかし日本だと有休は「イザという時のために」残しておく人が多いです。たとえば病気や風邪、家庭の事情等で休まざるを得ない時のことを考え、それらの日数を有休に振り替えることができるように「取っておく」というのが日本では割と当たり前です。

そうした中で、働くお母さんは「平日に行われるＰＴＡ活動のため有休を使わざるを得ない」という理不尽なことが起きています。たとえ数週間に１度の会合だとしても、それが１年にわたって続けば、有休のほとんどをＰＴＡ活動のために使ってしまった、ということになりかねません。

私の知り合いの女性は、ある年のＰＴＡ活動があまりにも忙しく、有休はほぼ全部をＰＴＡに使ったため、その年は家族旅行にも行けなかったとのことです。本来は「子どものため」であるはずのＰＴＡ活動のせいで、「家族との時間が取れない」ような事態は本末転倒と言わざるを得ません。

何年か前に政府が「女性が輝く社会」というキャッチフレーズを掲げたことがありましたが、ＰＴＡは確実に仕事に打ち込む女性の足を引っ張っています。どの国でも、女性の社会進出は、女性の「仕事以外の部分」をなるべくシンプルにすることで成功しますが、女性をＰＴＡ活動に駆り出すのはその真逆です。

そんな疲労する女性に対して、ＰＴＡは任意であるはずなのに、「参加は母親として当たり前」という無言のプレッシャーをかけたり、ＰＴＡの役員を引き受けたくない女性に対して「引き受けたくない理由」を述べることを求めたり、挙句の果てにはそれに対して「イチャモン」をつけるというのが日常化しているといいます。「小さい子どもがいるというのは役員を引き受けない理由にはならない」とか、「仕事が忙しいのはみんな同じ」と言われてしまうのです。

仕事も育児も家事も頑張っている女性に対して、さらに「それらのことは役員をしない理由にならない」と追い打ちをかけるのが、ＰＴＡというまさに「体育会系」の組織なのでした。

ベルマークはもういらない

ＰＴＡは体育会系とは無関係だと思われるかもしれませんが、そうではありません。そこには「女だったら、仕事があったって、介護があったって、小さな子どもがいたって、ＰＴＡぐらいできるでしょ！」というワケの分からない精神論が幅を利かせています。

さらに腹立たしいのは、女性に参加を求めるくせに、会長など「上のほうのポジション」になると、そこのポストだけ「男性」で埋まっていたりすることです。私の友達の女性は、「ＰＴＡってなんだか昭和の会社みたいなのよ。『上のほう』のポジションは男性で埋め尽くされているのに、下っ端の現場は女ばかりで、面倒なことは全部女に任せている感じ」と嘆いていました。

その代表的なものがベルマーク運動です。もともとは「財団法人教育設備助成会」という名前で、当時の文部省が認可して設立されました。戦後の貧困の中、日本の僻地の教師が全国の新聞に学校の劣悪な状況を訴え、設備を整える費用の援助を呼び掛けることを発端としたのがベルマークです。発想自体は「貧しい子達にも教育を」という素晴らしいものでした。

　しかしバブル期のような「経済大国ニッポン」と言われていた時期は終わったとはいえ、今のニッポンは70年前の敗戦直後とは違い、一応G7の一員で先進国です。そんな中、子どもたちが事前に切り取ってきたベルマークを回収して整理し、計算機で点数を出し、会社別にベルマークを用紙に貼りつけるという、今の常識で考えて「全く利益にならない」ことをPTAのお母さんたちは「平日の朝」にやらされているわけです。

　ベルマークの利益に関しては、「お母さんが何十人も集まって作業してやっと数千円」という日本が貧しかった頃の内職を思い出させるような額です。どう考えても割に合う金額ではありません。それなにのベルマーク活動がなくならないのは「女なら仕事だのお金だのゴチャゴチャ言わないで、子どものために活動しろ」という「上から目線の体育会系」が幅を利かせているからです。

　そういう意味で、PTAのベルマーク活動はニッポンの女性蔑視の象徴とも言えるかもしれません。現に平日朝のベルマーク活動に父親が参加することは、まずありません。「暗黙の了解」で、令和になった今でも「利益があまり出ないし、平日の朝に駆り出されるけど、

やっぱりやらなくてはならないわよね」と女性に無理やり納得させて続いている、まさに「ダレ得でもない活動」なのでした。もちろん全国の学校のお母さん方から不満の声が上がってはいるのですが、「ベルマーク活動がなくなると、他のもっと面倒くさい内容のＰＴＡ活動に駆り出されるから、それだったら、まだベルマーク活動のほうがいい」という意見もあるのです。

それではお母さんが語る「もっと面倒くさいＰＴＡ活動」とは何かというと、学校行事の運営を手伝わされる、地域に学校や生徒の様子を伝えるための広報の一環として資料作りをさせられる、果ては週末に町内会主催の盆踊りやお祭りの手伝いに駆り出される、といったものです。「ＰＴＡは学校のものなのに、なぜ地域の盆踊りの手伝いを？」と思いそうなものですが、厄介なことにＰＴＡの活動内容には「地域の特性を生かした行事に参加する」というものが含まれているのです。そのため女性たちが当たり前のように週末も地域の活動に駆り出される地域もあります。

ここから分かるのは、ＰＴＡのお母さんたちというのは基本的に「学校や周辺地域のお手伝いさん」として見なされていることです。これでは昭和の時代に夫の家族の「おさんどん」にお盆や正月ごとに駆り出されていた女性たちのようです。「義理の実家」を「学校」や「地域」に置き換えれば構造は同じです。

「女ならそれぐらいやるのが当たり前でしょ！」という「体育会系的な上から目線」の根底には、「女はどうせ家でヒマしてるから、タダで活動に駆り出してしまえ」という発想が根底にあるのでした。もちろんそういう発想をする人は当たり前のように「女性の人件費はタダ」だと考えています。

退会すると子どもが村八分⁉

ＰＴＡは世の中に数々存在する「かつては必要だったけれど今は無用の長物」だと言える

でしょう。それこそPTAが日本に入ってきた当時は、民主主義の原則に沿って「会員なら、誰でも発言ができ、何かを決定するまでに会議を重ねていく」という鏡のような組織でした。今で言うコンプライアンスも重視され、道徳的で倫理的な行動をとることを理念としていたPTAはある意味画期的なものでした。そして、60年〜80年代と専業主婦が多かった時代には、「女性たちが平日にPTA活動をすること」は自然な流れだったと言えるでしょう。

しかし、しつこいようですが、フルタイムで働く女性が増えた今の時代に、ベルマークのように非効率的な活動の見直しをせず会合を平日の昼間に行うというのは、なんとも時代錯誤だと言わざるを得ません。

近年はPTAを退会したいという人に対して、「だったら卒業式の紅白まんじゅうをお子さんにはあげない」なんて警告をする人がいるなど、戦後のPTAの「民主的に」という理念からかけ離れたエピソードも目立ちます。

大阪府堺市の私立の中高一貫校では、ある親が保護者会を退会したことにより生徒が卒業式に記念のコサージュをもらえず、マラソン大会の際の特別給食が支給されなかった例もあります。言うまでもなく「親が会費を払っていないから&親がPTAや保護者会の活動をしないから、その子どもが仲間外れになっても仕方ない」という考えは間違っています。場合によっては子ども同士のイジメに発展する可能性もあります。

ＰＴＡは義務ではなく任意。世間でもそう繰り返し謳われていますが、現実には退会することは、ある人たちから無言の「あなたとお子さんは村八分にして良いのですね？」という「確認」が入るというなんとも恐ろしい世界がそこにはあるのでした。

私の母国のドイツでは、ＰＴＡに該当するElternbeirat（直訳は「親たちの会議」）がありますが、ドイツでは性別に関係なく親は働くものだという前提が社会にありますので、当然ながら会合は平日の夜に開催されます。日本と比べて父親の参加も多く、母親がタダで学校や地域にこき使われるということはありません。

学校や子どもの教育について親が提案をしたり、校長との面談の場を設けたりと教育のある種の改善を図る場となっているところは、日本のＰＴＡと同じです。日本と同様に役員も選びますが、本当の意味で「あくまでもやりたい親」が集まるため、たとえばバイエルン州の公立の学校のElternbeiratは10人程度で回っているところが多いです。

このように「参加している親」の数がそもそも少ないので、Elternbeiratに参加しない保護者の子どもが不利益を被るということはまずありません。そうはいっても、もちろん人間が集まるところなので、Elternbeiratの中でも、気の強い親が主導権を握ったりとなんとなく上下関係のようなものが生まれるという話は聞きます。人間が集まると、どこもそういうことは避けられないのかもしれません。それでも、日本のＰＴＡと比べると「参加しなくてもいい」のですから、ずいぶんお気楽なものです。

「男から見た女の美しさ」のためのルール

近年、日本では「女性のみにヒールつきの靴の着用を強いる企業が多いこと」が話題になりました。女性が会社でヒールを履くことを強いられる企業が多いのは何も今に始まったことではありませんが、アメリカ発の #MeToo にのっかる形で、グラドルの石川優実さんが昨年、「職場で女性のみがハイヒールを履かざるを得ないのは苦痛」として #KuToo 運動を始めてから、世間ではこの問題にスポットが当たるようになりました。

その過程で驚かされるのが、「女性従業員はヒールを履くのが当たり前」だとしている企業がいかに多いかです。19年11月18日に配信された時事通信の記事によると、日本では１割の会社に「女性のヒールの高さ」について社内規定があるということが連合の調査の結果、明らかになったとのことです。

これは昨年10月にインターネットで「働いている20~59歳の男女各５００人、計１０００

人」から回答を得たものです。驚かされるのが、「男女でルールが異なる」ことについて「仕方ない」と答える人が36・2％もいて、「おかしい」と思っている人が12％しかいないということです。ヒールがついた靴というのは健康に悪く、常識的に考えれば「なぜ職場で女性にばかり健康を害するようなルールを強いるのか」ともっと反発が多くても良い気がします。

ただ日本には学生時代からの「女子の制服はもちろんスカート」といった「刷り込み」があるので、それがここにも影響しているのだと思います。つまりは「女子だから何々をして当たり前」という感覚が「おかしい」と思っている人が少ないのです。

気になるのは、大人の女性の身だしなみについて「化粧をしないのは相手に失礼」とか「ヒールを履かないのは相手に失礼」といった具合に、「女性が何々しないと失礼」というおかしな決まりが多いことです。さらに、たとえば航空業界では緊急時において「スニーカーなど平らな靴のほうが安全」としているにもかかわらず、なぜか一番飛行機に乗る回数が多いはずの客室乗務員の靴については、一部の日本のＬＣＣの航空会社を除き、「女性はヒールのあるパンプスを履くこと」というルールがあります。

どうもニッポンでは、「女性」が絡むと、「仕事のしやすさ」や「健康や命」よりも、「男性から見て、その女性が美しく見えること」が優先されるようです。改めて考えてみると恐ろしい話です。

メガネはかわいくないから禁止

「女性がきれいに見えること」が女性の健康よりも重視されているのは「靴」に限ったことではありません。19年後半に、「メガネの着用を女性だけ禁止する会社」がネットで話題になりました。発端となったのは、10月に竹下郁子さんがビジネスインサイダージャパンに書いた記事の中で「職場の上司から〝メガネ禁止〟を言い渡された女性たちの声」を取り上げたことでした。接客業の女性が多く、美容クリニックの看護師の例もあるようです。これを受けて、インターネットでは「時代遅れ」「女性を仕事内容ではなく容姿でしか評価していない」といった意見が出ていました。

たとえばテレビのアナウンサーを見ても、ＮＨＫも民放も全部ひっくるめて、「メガネの男性」はよくテレビに映りますが、女性は少ないのです。女性だけに近眼（または遠視や乱視）が少ないなんていうことは医学的にあり得ませんから、暗黙の了解で「近眼の女性はコンタクトレンズを着用すること」になっているか、「面接の段階でメガネをかけている女性は落としている」としか考えられません。

実はテレビに関しては、何も日本だけの問題ではなく、世界のどこの国でもアナウンサーやキャスター、コメンテーターなど出演する人は、男性よりも女性のほうが「メガネ率」は少ないです。

だからといって「それでいいじゃないか」という話ではなく、世界全体の傾向として「男女平等はまだまだ」というのが現実だという話です。そこからは、「テレビなど表に出る人間は、男性はインテリっぽいことが大事だけれど、女性はきれいな容姿が大事」という無意識の規範が存在することがうかがえます。すなわち「女性のメガネ姿はきれいではない」という前提があり、ここでも不利益を被るのは女性なのです。「コンタクトが合わない近眼の女性がメガネで視力を確保すること」＝「女性の健康」よりも、「彼女がいかにキレイに見えるか」ということが重視されている社会は明らかに健全ではありません。

そんなわけで世界的にもこの問題はまだ解決されているわけではありません。ただ、メディアに出る女性にメガネの人は少なくても、オフィスワーカーや調理師といった普通の会社員にメガネの着用が禁止されるということは、さすがに欧米ではありません。

日本の職場の「メガネ禁止」は「昔のお見合い結婚の女性に対する基準」をベースにした

ものだと推察されます。お見合いが当たり前だった時代には、お見合い相手の女性について「メガネの女性はちょっと…」と男性側が断る人が少なくなかったと言います。しかし、当時は容姿の観点からというよりも、「ヨメの悪い体質が孫に遺伝すると困る」という懸念のほうが強かったと思われます。まさにこれは、女性を「健康な跡継ぎ」を残すための「産む機械」と見なす考え方です。

家と家をつなぐお見合いがあまり盛んでなくなってからは、「会社」が男女の出会いの場となりました。長らく、それなりの数の花嫁候補を採用して優秀な男性には社内結婚をしてもらい、女性には会社をやめてもらうというスタイルが日本では普通だったわけです。言うまでもなく高度経済成長期のニッポンにおいて「花嫁候補としてふさわしい女性」とは、「仕事ができる女性」という意味ではなく、「見た目がかわいらしい女性」のことでした。「メガネはかけていないほうがかわいい。だから女性の従業員のメガネは禁止」というなんとも理不尽なルールが今のニッポンの職場にあるのは、こういった流れの結果です。

この〝メガネ騒動２０１９〟（こう名付けます）については、南ドイツ新聞[*18]も取り上げており、ソムリエとして働く日本人女性が「着物とメガネは合わない」という理由から仕事中にメガネをかけることを禁止されていることについて報じています。

それにしても「近眼で周りが見えにくい」というハンディを抱えている女性に対して、「着物に合わないから」という理由でメガネをかけさせないことにビックリ仰天です。ニッポンでは、この手の「もっともらしい」説明が「女性を説得する手段」としてよく使われます。

私が最近聞いた話ですが、日本の航空会社に客室乗務員として勤めている女性が「決められた色の口紅を濃い目に塗るように」と指導され、理由を尋ねてみたところ、「機内は暗いので、お客様と話す時に客室乗務員の口の動きがよく見えるように」という、これまた「もっともらしい」説明をされたとのことでした。しかし、男性の客室乗務員は口紅を塗っていないのです。

その他、女性に言うことを聞かせるためのまことしやかな説明例はこちらです。どうぞご笑覧ください。

その①「メガネがご飯に落ちないように、メガネをかけてはいけない」（↑ツッコミ：「男

＊18　https://www.sueddeutsche.de/politik/japan-unscharfe-argumente-1.4677129

性のメガネはご飯に落ちないの⁉」）

その②「メガネをかけるとかたく見えてしまう（↑ツッコミ：「男性はなぜかたく見えて良いのか説明求む！」）

その③「メガネ越しにお客様を見るのは失礼」（↑絶句「……」）

なんだかんだと理屈を並べていますが、要は「僕は女にメガネはかけてほしくない！　メガネをかけるときれいじゃないから！」という男性側の幼稚な思考が透けて見えます。

何が怖いって、男性がこれを恋人に対してではなく、仕事という場で女性の部下にこれを強いていることです。本当に仕事のことを考えているのだとしたら、「近眼で周りがよく見えていない女性」または「コンタクトが目に合わず仕事に支障が出る女性」のほうがよっぽど怖いのですが、コト女性になると、容姿ばかりに目が行き常識というものが通用しないのが悲しいかな、ニッポンの男性というものなのでした。

それにしても女性の安全や健康よりも、「男性から見てきれいに見えるか」「男性から見て

品がよく見えるか」が優先されているなんて、なんだか発想が昔の纏足《てんそく》と似ていると思うのは私だけでしょうか。

　こうして、またもや「女性」と「世の中のオジサン」の間の温度差があらわになってしまいました。女性側はただ「近眼（または遠視や乱視）だからメガネをかけたい」だけです。また、近眼であることは「メガネをかける」ということについて、十分な理由であるわけです。

　ところが、一部のニッポンの男性は近眼のことはどうでもいいと言わんばかりで、この話を「自分はこういう女性が好みである」という話にすり替えています。たとえば経済同友会の櫻田謙悟代表幹事は、このメガネ騒動について「ナンセンスとしか言いようがないですね。私はメガネの女性好きなので。そういうこと言うと、またいけないのかもしれないけど」なんて言っています。

まあこの人の場合、発言の中で自分で自分にツッコミを入れているだけまだマシかもしれません。とはいえ彼の立場では労働環境の観点から発言することがふさわしかったと思いますが、どうしても「僕の好み」系の発言をしてしまうのはオジサンの性《さが》なのでしょうか。

「働く女性の健康」よりも「僕から見て女性がきれいに見えるか」を優先してしまう背景には、男性優位的な考えの他に「女性ならハイヒールのほうが慣れているはず」「女性ならみんなコンタクトレンズにするはず（コンタクトが体質的に合わない女性のことはそもそも考えない）」といった乱暴な思い込みがあります。これが、「女性なら子育ても一人で器用にこなせるはず」などの極論につながっていると思うと怖い！　としか言いようがありません。

海外の「靴」事情

・ドイツ

私の母国ドイツはというと、ビジネスシーンにおいてハイヒールやパンプスを履く女性もいますが、日本よりかなり少ない印象です。ドイツの労働法に女性の身なりについて規定はありませんが、各企業で大まかな規定を設けている状況です。

しかし女性の履く「きちんとした」靴は、ドイツではパンプスやハイヒールである必要はなく、バレエシューズやモカシンシューズでも良いですし、写真のような「革の紐靴」でもかまいません。

ドイツでよく見かけるタイプの女性用紐靴。
写真のメーカーはLLOYD

ドイツでは、Slipper（日本で言うローファー）と呼ばれている靴を履いて出社しても問題ありません。ハイヒールやパンプスを履かないからといって即カジュアルな運動靴を履くというわけではなく、そこは「いろんなタイプの靴をフォーマルと認める」ということです。

たとえばメルケル首相が19年2月に天皇陛下（今の上皇陛

メルケル首相と会見する天皇陛下（当時）　©共同通信社／アマナイメージズ

下）に会った際には、少しだけヒールはあるものの、ローファーのような靴を履いて会見に臨んでいます。これはヨーロッパの感覚からすると全く変ではありませんが、もし日本の女性が履いたならば、各方面からいろいろと言われてしまうのではないかと想像してしまいます。

・ベルギー

#KuTooについては、東京のベルギー大使館が「ベルギー大使館の職員は、自分が履く靴を自由に選ぶことができます。ハイヒールを履くことを強要しません！私たちは平等・多様性・選択の自由を尊重します。」とツイート[*19]し、話題になりました。

東京のベルギー大使館の女性職員の靴。ツイッターより

写真を見ると、ベルギー大使館の女性が実に多様な靴を履いているのが分かります。そして、こういったスタイルが近年のヨーロッパではスタンダードです。

・イギリス

15年には、ロンドンの大手会計事務所プライスウォーターハウスクーパース（ＰｗＣ）で、ハイヒールを履くように言われた受付係の女性が「強制は苦痛」だとして、10万を超える署名を集めたこともありました。これが英国議会で議題に上がり、イギリス政府がそのような規定をやめるよう通達を出しています。

こうやって見てみると、#KuTooは、何も日本だけの

＊19　https://twitter.com/BelgiumEmbJapan/status/1135810971358810113

話ではなく、ヨーロッパにも同様の問題はありました。ただし「その後の動き」が早いのが特徴かもしれません。

「同僚と話し合って順番で妊娠しろ！」

18年2月、毎日新聞に掲載された名古屋市在住のある男性の投書が物議を醸しました。保育士の妻が勤務する保育園についての文章です。そこでは、結婚の時期と妊娠の順番を園長が決めていて、その「掟」を破って予定外の妊娠をしたため、男性と妻は園長に「妊娠してすみません」と謝罪したとのことでした。

この投書は当時だいぶ話題になりましたが、その後、保育士の「妊娠順番ルール」は約15%の保育園で存在[*20]するということが明らかになりました。ニッポンの保育園には、女性の妊娠は「園長先生やそこで発言権がある人」が決めてしまうところがあるというトンデモな事実が明らかになりました。

中には、翌年度への引継ぎをスムーズに行うために「5月に出産すること」という暗黙の了解を求めていた園もあるといいます。しかし考えてみれば、母親の仕事の都合で、その職場の従業員の子どもは「みんな5月生まれ」だなんて気持ち悪いですね。

この「勝手に妊娠禁止」の議論の発端となったのは「保育園」でしたが、日本の会社ではしばしば上司が女性の部下に対して以下のような発言をすることが珍しくありません。

「同時に育休を取らないように、女性社員同士で産む順番を決めてね」
「今は仕事を優先して出産しないほうが君のキャリアのためだよ」
「転勤中は妊娠しないほうがいいよ、戻って来られなくなるよ」

これらが、部下との雑談中の「アドバイス」だとしても、パワハラになるので注意が必要です。保育園や会社としては同時期に何人も産休に入られては困ります。でも、その可能性も考えて運営するのは本来、マネージメントの責任です。

当たり前ですが、「人員調整」のために、部下の夫婦生活に口を出すというのは21世紀の先進国の感覚とは言えません。しかし体育会系の国・ニッポンでは「なんでもかんでも仕事が優先」なので、部下の夫婦生活に口を出すことを「へんてこりん」だと思わない感覚の人

＊20　https://www.news-postseven.com/archives/20180329_663134.html

も多く、本当に世も末だと思います。

周囲との仕事の兼ね合いの問題はもちろんありますが、人間は機械ではないので、「いつ妊娠するか」についてはコントロールできないことのほうが多いです。妊娠はどんなタイミングでも「おめでとう」と自然に祝福できる社会でないと、少子化は進む一方でしょう。

それにしてもビックリなのは、これまた一部の人が「女はタイミングよく妊娠できて当たり前」だと信じてやまないこと。そうでなければ、「この時期の妊娠はダメ」なんて言えないはずなのです。子どもがほしいからといってすぐに妊娠に至らないことも多いというのはその分野のことを少し調べればすぐ分かるはずです。

しかしここでも、「女だからすぐに妊娠できるはず」という、あたかもやる気になれば妊娠できるかのような考えのもと、いらぬ発言をする人が後を立たないのでした。男性ばかりでなく女性でさえも「希望通りにすぐ妊娠できる」と思い込んでいる人がいるのは、本当に困ったものです。

東京都内のある団体が、妊娠を報告した研究員の女性に対して、「子育てをしながら働くというのはウチではなじまない」と退職を勧めたり、「何考えているんだ、このバカ」と暴言を吐くなどというハラスメント事件が発生しました。その嫌がらせが理由で早産をしたとして、被害に遭った女性が慰謝料など５５０万円を求め東京地裁に労働審判の申し立てをしたことが19年11月にニュースになりました。[*21]

妊娠したら上司に「謝れ」と言われたり、流産したら「バチが当たった」と言われたということですが、なんだか中高の部活で後輩に対して理不尽なシゴキをしていた人がそのまま大人になり、妊婦をいじめているのではないかと思ってしまいます。日本人が途絶えないためにも、この手の体育会系のイジメはなくなってもらわないと困ります。

ニッポンに多い⁉「バーンアウト女子」

男女平等ランキング１２１位のニッポン。政治や経営陣に女性が少ないこと、また学歴が高くても事務職に就いたりと昇進が望めないポジションにいる女性が多いことも理由です。

個人的に私が気になるのは、日本では他の先進国と比べて「専業主婦になりたい」という夢を持つ女性が少なくないことです。子どもの時から勉強やお稽古事をたくさんやっている女性が「専業主婦になりたい」と言っていることを私は長いあいだ不思議に思っていました。

＊21　https://news.mixi.jp/view_news.pl?media_id=2&id=5873571&from=home

子どもの頃は成績も良かったのに、大人になってからは「なんだか妙に静か」な人生を選ぶ女性たちのことです。最近、その一部の女性はバーンアウト症候群なのではないかと思うようになりました。

たとえば現在40代の女性Aさんとは私が子どものころから知り合いですが、彼女の小学生時代は今考えると社長並に忙しかったです。習い事を毎日していて、ピアノにそろばん、公文にバレエ、と毎日のようにお稽古事が入っていました。休みという休みはなく、なんと日曜日の午前中も習字の習い事が入っていました。そんなお稽古事三昧の生活をしていた彼女は学業のほうも順調で、推薦で一流大学に入り、その後大手の会社に就職しましたが、会社がかなり忙しかったこともあり、結婚を機に会社をやめ、子どもはいませんが専業主婦です。

ヨーロッパでは、大学を出て、お稽古事を通してたくさんの能力を身につけた女性が進んで専業主婦になりたがるということはありません。仕事のスキルのある人が結婚をしたからといって無職になるのは「あり得ない」というのがヨーロッパの社会の共通認識です。でも日本だと彼女のようなケースはちょくちょくあり、社会もとくにそのことを問題視していません。

Aさんは新卒で数年間働いていた会社の仕事が激務でした。その中で「仕事とはすなわち激務」なのだという認識が彼女の中に植え付けられてしまいました。結婚で仕事をやめて以来、とにかく仕事というものと距離を置いていた印象です。子どもの頃にやっていたお稽古事を生かした活動をするでもなく、家事以外は何もしない静かな生活を求めているようでした。

彼女と話していて感じたのは、もしかしたらこの人は、子どもの頃からスケジュールがぎゅうぎゅう詰めで疲れてしまい、今はもう仕事を含めていろいろと動く気力を失っているのではないかということです。

実は筆者と同年代の帰国子女の女性にも似たようなケースがあります。子どもの頃に外国語の勉強やお稽古事はもちろん、「日本に帰っても受験に困らないように」と日本の学校並の勉強もして非常に優秀だった人が、大人になった今はどこか無気力で、仕事をするということにあまり意欲的ではないことがあります。

女性の場合、こういった子ども時代の頑張りが裏目に出て、ある種の「燃え尽き症候群」になってしまっても、「専業主婦」という道があるので、男性から見たらうらやましいかもしれません。「疲れたから仕事はしない」といったことが経済的にできない場合、専業主婦という生き方は今の時代も一部の女性の憧れの対象です。

ただ、「仕事に興味のない専業主婦」という状況が「子どもの頃の忙し過ぎる生活に疲れて意欲を奪われた」結果だとすれば、少なくとも教育面においては本末転倒だと言わざるを得ません。子ども時代にスケジュールを親からぎゅうぎゅうに詰め込まれ、「ホッと一息つける時間」が極端に少ないと、そういった生活に嫌気が差し、結果的に仕事をしたくない大人になって専業主婦の道へ…というケースがあるようです。

大人になってから長い期間にわたり「仕事を精力的にやっていく」には体力に加え、何よりも「やる気」がモノをいいます。いくら親が子どもの将来を思って、いろんなお稽古事をさせたり、部活を頑張らせたりしても、その子が意欲的な大人になるかどうか、すなわち仕事を頑張る社会人になるかどうかは分かりません。

精神的に「病む」まではいかなくても、前述のように、小中高はお稽古事三昧と部活で疲れ、大学は就職活動で疲れ、新卒で入った会社は激務で25歳でもう人生に疲れ果てて、何も取り組む気にならない…という状態になってしまう可能性もあるということです。

ニッポンの大人は、特に経済的に余裕のある親の場合、とにかく子どもにはいろんな経験をさせ、なんでもやってみればいいと思いがちで、時に子どもを勉強三昧、お稽古事三昧にさせますが、教育の最終目的はやはり「一人の人間として自立すること」。そして自立には

「自分で食べていくこと」、つまりは「仕事をすること」が含まれています。なので、批判を覚悟で言うと、仕事に無関心な専業主婦を作り出している時点で、親の教育に「何か抜けているところがあった」と言わざるを得ません。

フーゾクも体育会系

海外の犯罪集団がそれにふさわしく「恐ろしくいい加減」なのに対し、ニッポンでは闇組織で行われるシゴキがブラック部活に似ていたりして、「こんなところにまで体育会系の思想が浸透しているのか」とビックリすることがあります。

たとえば、19年3月にはタイのパタヤの一軒家から日本へ振り込め詐欺の電話をかけていた日本人15人が逮捕されましたが、その現場となった一軒家には、以下の6項目が書かれた貼り紙が貼ってあったといいます。[*22]

「ネガティブにならない！」

＊22　https://www.sankei.com/world/photos/190330/wor1903300019-p1.html

「責任感を持つ！」

「冷静さを心がける！」

「しっかり集中する！」

「絶対に稼ぐ！」

「だらけるな、痩せろ！」


5番目の「絶対に稼ぐ！」というのを除けば「ダイエット道場の貼り紙かな？」と一瞬思ってしまいました。ダイエット道場はさておき、なんだか「全国大会を控えている部活」でも使われそうな言葉ばかりが並んでいます。

それこそ全国の中小企業の営業職などは、この手の内容を毎日のように言われ続けている&自らも唱えさせられています。上記の振り込め詐欺集団では電話担当の人に対して「売り上げ目標」などの「ノルマ」も課せられていたといいます。やたらと「気合」や「根性」のようなものを重んじる、なんだか「ニッポンの普通の組織」と変わらないのが滑稽でした。

でも普通の会社にしても、振り込め詐欺を行う組織にしても、「下っ端の人には頑張ってもらわないとお金が入ってこない」ので、そういう意味では、どこの世界でも「人を動かす」ツールとして根性論が使われているというのが面白いです。

先日聞いたニッポンの風俗店の話にも考えさせられました。ある風俗店では働く女性に店で「日誌」を書かせているのだそうです。日々の生活で感じたことや、人生の目標について書かせているそうですが、「素敵な女性になりたい」など女性としての抱負がしばしば記されているといいます。

日誌を書かせている理由は「目標を失うと風紀が乱れるから」なんだそう…いろんな意味でツッコみたい!!

それにしても、「人生の目標とか」「日々の生活で感じたこと」を書かせるなんて、風俗の仕事にあまり関係ないように思いますが、こういった場でも、上の人間が「下っ端の人を人間として教育してやる」という目線が抜けないのがなんともニッポン的です。

〈女性編〉

- □ 旦那に家事をやらせるとヘタクソだから、つい自分で全部やってしまう
- □ やっぱり女性はいつも笑顔でいるべきだと思う
- □ 女性は化粧をしてから人前に出るのがマナーだと思う
- □ 女性にはお金を稼ぐことよりも大事なことがあると思う
- □ 母親がＰＴＡに駆り出されるのは子どものことを考えると仕方ないと思う
- □ 出産は自然分娩が一番。無痛分娩だなんて怖くないのかしら、と思う

⇒３つ以上当てはまったあなたは**「昭和な女」の価値観**です。日本が世界男女平等ランキングで一日も早く上位に浮上できるように、古い価値観は捨てて、仕事でお金を稼ぐことに集中しましょう。

第4章　外国人がカイシャから逃げていく

「雑巾がけ」に愛想をつかす外国人

ニッポンの会社は「精神論」が好きであり、その体育会系的な考え方は社員採用の際、「誰をどの部署に配属させるか」という判断にも反映されています。「新人は基本的なことから体験すべき」だという考え方が日本で蔓延しているため、せっかく優秀なスキルを持った社員に対しても、「まずは雑巾がけから」というようなことをやってしまうわけです。

筆者の知人にデンマーク語、英語、フランス語と日本語ができる高学歴のデンマーク人女性がいます。ただマルチリンガルの人の多くがそうであるように、「どの言語も同レベルできる」わけではありません。順番で言うと、デンマーク語は母語、英語はほぼ母語並、その後にフランス語と続きます。日本語は流暢ですが、成人してから習い始めたため、多少のアクセントはありますし、会話をするには十分ですが、日本語の細かいニュアンスには戸惑うことがあると本人も言っていました。

そんな彼女が日本のある旅行関連の会社で働くことになりました。事前の案内では、ヨーロッパを含め世界各国とのやりとりがある国際的な会社とのことで、彼女の語学力は大いに生かされるはずでした。

ところがあろうことか、その会社は彼女を「国内営業部」に配属してしまいます。新卒、転職組、外国人を問わず、「新人はまずは国内営業部で体験を積む」というのがその会社の方針だったからです。この国内営業部の主な仕事は日本の地方の顧客に電話をすることでしたが、そのデンマーク人女性は本当に困っていました。というのも、電話をかけさせられた先は日本の地方や田舎が多かったため、相手の話す方言を理解することができませんでした。しかし、そのことを上司に相談するも「そういう決まりだから」ということで、他の部署へ異動させようという話などにはならなかったのだとか。

その会社では、英語やフランス語を生かせる部署もありました。会社も予め彼女の英語やフランス語の能力が高いことを知っていて、それに期待した上での採用だったはずなのです。

なのに「ルールだから」という理由で、外国語を使わない国内営業部に配属させてしまいました。日本語の方言が全く聞き取れず、さらに日本で育った人と比べると敬語もたどたどしいため、彼女はなかなか契約にこぎつけることができず、営業成績は他の日本人と比べて芳しくありませんでした。

せっかく自分の能力が生かせると思った企業で、「電話の相手が聞き取れない方言ばかり」の部署に配属され、さらには敬語にもイチイチ先輩から細かい指導が入ったといいます。「敬語が上手な営業の人」「日本の田舎の方言も聞き取れる人」なら、地元の日本人を雇ったほうが効率的なのでは？　と、思うのは私だけではないはずです。

ニッポンの会社では、このように外国人を能力に合わない部署に配属したり、英語の話せない日本人が「国際部部長」だったりするのですから、効率重視の外国企業と競争する際に負けてしまうのは当たり前です。

能力のある人でも「まずは下っ端の業務から体験させる」という体育会系的な社員の使い方をしてしまうため、ニッポンの会社は早々に外国人に愛想を尽かされる傾向にあります。デンマークの彼女も、「これはやってられない。私は茨城弁のプロではないし、営業のために方言をワザワザ勉強するのはちょっとね…」と言いサッサと外資系企業に転職してしまいました。ちなみに給料も外資系のほうが良いそうです。

考えてみれば、英語とフランス語が堪能な人に、茨城弁での営業をさせた上、「外国人だからやっぱり日本の方言が分からない、敬語がなってない」などと「新人教育」を毎日チクチクやるのは、「ダレ得」でもありません。

優秀な人材をそれに見合う部署に配属せず、「外国人だから」ということを連発するのはパワハラだと思います。「新人は皆同じ」「新人は皆雑巾がけ」とばかりに、この手のやり方を「平等」だと信じてやまない体育会系思考の闇は深いと言わざるを得ません。

ＭＢＡを持った優秀な外国人が入ってきても「まずは現場から！」と地方の工場に配属させたり、マルチリンガルな人を国内営業部で日々方言を聞き取ることに使ったり。これでは、新人の大坂なおみさんに、「テニスが上手いのは分かるけど、まずは先輩の球拾いからお願いね」と言っているようなもの。そして球拾いしているうちにテニス自体に興味をなくしちゃうかも。まさに本末転倒のニッポン流・体育会系。大坂なおみさんは、もしかしたらアメリカにいたからこそプロになれたのかもしれません…。

「これはダメ」が基本の会社規定

ドイツを含む欧米の会社では、業務上の出張に延長して現地で何日か休暇を取ることが普通に許されているところもあります。出張後すぐに帰国してやらなくてはいけない仕事があれば別ですが、基本的には海外で出張の際、時間が許せばその後に2、３日くっつけて自分の有休を消化しても良いというわけです。もちろんホテル代などは自腹ですが、飛行機代は会社に払ってもらえるので、「ちょっぴりラッキー」な気分が味わえたりします。

ところが、これまた日本の会社はうるさくて、「出張に有休をつなげるなんてとんでもない！」と考える人がほとんどです。実際に会社の規定で、「出張に有休をつなげてはならない」としていることもあります。でも一番の問題は、なんというか、もう考え方からして「出張に有休をつなげるなんて…（あなたは一体何を考えているの？）」という感覚の人が多いことです。出張に有休をつなげることがまるで犯罪であるかのような扱われ方をするのです。

「アメリカでの出張につなげて、〇〇に行ってきていい？」と気軽に上司に聞けて、その場にいるみんなが「いいね～楽しんでおいで」と言ってくれるような雰囲気の（全部ではあり

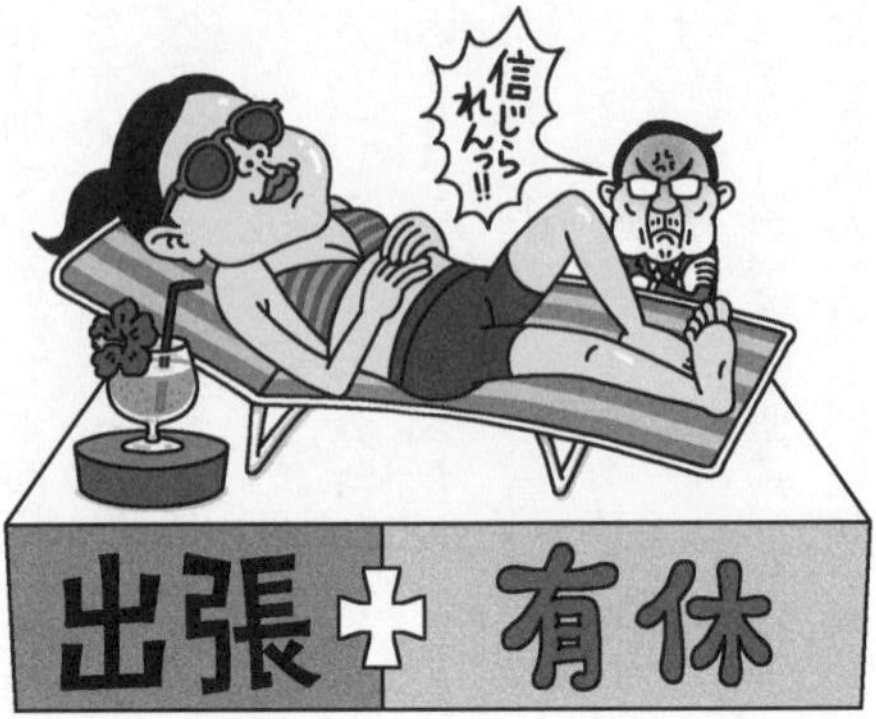

ませんが）欧米の会社とは大違いです。

給料以外の面で、こういった「雰囲気的なもの」を見ても、優秀な人材を日本に引っ張ってくるのは難しいなと感じます。もしあなたがＭＢＡを持っていて、複数の言語が話せて、企業を選び放題だとしたら、「出張のついでに現地でゆっくりしてきなよ、有休つなげていいよ〜」と笑顔で勧めてくれる上司のいる会社と、「まあっ!?　会社に出張させてもらえるだけでありがたく思わなくちゃいけないのに、出張に私用の有休をつなげたい…？　一体何を考えているの!?」といったことを真顔で言い放つ上司のいる会社…どちらに入社したいですか？

出国外国人への批判

災害大国のニッポン。東日本大震災のマグニチュードに匹敵する貞観《じょうがん》地震《じしん》など、日本列島は昔から多くの災害に見舞われてきました。そのたびに、日本人は力を合わせて復興を成し遂げ、今の国の姿を築いています。

日本と欧米の文化の違いの話になると、「欧米人が個人主義なのは狩猟民族だからだ。日本人が集団主義なのは農耕民族だからだ」と語られがちですが、日本人がみんなで力を合わせて頑張るのが得意なのは、長きにわたって「自然災害」と闘う際に「団結する」ことが必要だったという点も大きいでしょう。地震や台風など私の出身国であるドイツにはないタイプの自然災害が日本列島にはたくさんあります。自然災害に見舞われるたびに、日本人はみんなで団結し、精神力も鍛えられてきました。

他の国と比べると、日本では「災害に遭って辛いのは自分だけじゃない、他の人も辛いのだから弱音を吐くのはやめよう」と考える人が多い気がします。被災直後の辛い状況の中でも、「弱音を吐かない」精神力には外国からすると目を見張るものがあります。

ただ、自分に厳しい分、他人に対してもちょっと厳し過ぎるかもしれません。東日本大震災が起きた後の数か月間、「他人に対する厳しさ」が分かりやすい形であらわになりました。

11年3月11日の金曜日、私は都内にいました。ヨーロッパ某国の人とオフィスで打ち合わせをしようとしていたその時、大きな揺れを感じました。いつまで経ってもその揺れは収まる気配がありません。「ずいぶんと長い揺れだな…」と思ったものの、津波や原発に関する被害の情報はまだ何も入ってきていません。

そのままオフィスに留まりましたが、夕方になっても電車が動かなかったため、車で帰路につこうとしたところ渋滞にはまってしまい、家に到着した時には夜中の2時をまわっていました。疲れ果ててしまい、その日はテレビをつけずに就寝しました。津波によって多くの人が亡くなったことを知ったのは翌日の昼、テレビをつけた時でした。

土曜日に予定していた用事を済ませ、午後になってからスマホを見ると、東京に住む外国人や外国にルーツのある友達が次々とフェイスブックに、「今シンガポールです」「香港に着きました」「空港に向かってます。明日、ドイツに着きます」とアップしています。海外メディアは福島第一原発が危ないらしいという情報をいち早く発信しており、私の東京の外国人の友達（または外国にルーツのある友達）のほとんどが、原発の状況を危ぶむコメントをフェイスブックに残すとともに、知人に対して「東京にまだいる人は早く出国したほうが良い」と促していました。どの航空会社を使って日本を出たか発信するなど、とにかく出国の話題一色でした。

翌日曜日には「ドイツに着きました」「フランスに着きました」など、地球の反対側に到着したという投稿が多く見られるようになりました。ちなみに土曜日に、香港やシンガポールなど日本から見ると「近場」に着いたという投稿が多かったのは、「とにかく日本を離れなくては」と思う人が多く、最短で行ける場所を咄嗟に選んだからです。福島第一原発の事故が国際原子力事象評価尺度（ＩＮＥＳ）において最悪の「レベル７」だということは、事故から一か月後の４月に発表されましたが、既に震災の翌日には外国人の間で放射線に関する危機感が広がっていたのです。

14日の月曜日には、週末中に外国に移動できなかった人たちが遅れて日本を発ちました。火曜日の朝になると、まだ東京にいた私の携帯電話やメールに、ドイツの家族や親戚、友達、果ては疎遠だった知人やかつての同僚などからも連絡が入るようになりました。内容はどれも「今どこにいるの？」というものです。こちらが「東京です」と答えると、信じられないといった調子で「早く出国して。出国できないのなら関東を離れて」「自分の命を大事にして」という返事が来ました。

実際、その時には、東京に住む外国人や外国に縁のある知人の中で日本に残っているのは、私を含めて３人だけになっていました。多くの人が週末中、または週明けの月曜日に日本から発っていたのです。いわば「出国ラッシュ」でした。

ところが、この「外国人の出国」について、日本では批判的な意見が目立ちました。曰く

「日本が大変な時に、自分のことしか考えないで出国するのはどうかと思う」「被災地に寄り添うべき」「結局外国人は日本が好きでも、何かあると母国に帰ってしまう」というようなことを愚痴の形で私もずいぶん聞いたものです。

しかし外国人からすると、被災地が大変な時に東京に留まったところで、自分にできることは限られています。今後放射線がどの方向に飛んでくるのかが心配でしたし、原発そのものもかなり不安定な状態でした。日本に住む自分たちのことを何よりも母国の両親や家族が心配していました。年老いた親からの「東京を離れるように」という言葉は「重い」です。「親を心配させないために」と日本を離れた外国人も多かったのです。親を思う気持ちは日本人も同じで万国共通でしょう。

ただちょっと注意してほしいのは、震災後に日本を離れた人は必ずしも「母国に帰る」ということにこだわっていたのではないという点でしょうか。日本に住んでいた筆者の日独ハーフの友達はドイツ人の父親と一緒に当初はドイツに向かおうとしましたが、飛行機のチケットが取れず、結局は父親と2人でアブダビ行の便に乗り、ついでに旅行したとのことでした。

他にも、母国へのチケットが入手できなかったため、席が残っていたハワイへ向かい、そこで数日間過ごした外国人もいました。親にとっては、本当は子どもに自国へ帰ってきてほしいけれど、それができないのならとりあえず日本から出てくれれば安心、と考えた人も多かったようです。

当時、日本の一部のマスコミには、出国するために空港に殺到していた中国人の写真を載せながら、その混雑ぶりがあたかも集団ヒステリーであるかのように批判的な記事を書いているところもありました。

でもよく考えてみると、これもおかしな話なのです。というのは、海外で何か起きた時、「現地にいる邦人が日本に帰国する」ということはごく当たり前のように行われてきました。かつてイラクがクウェートに侵攻した際にも、現地に取り残されなかなか帰国できない日本人は「早く日本に帰りたいです」と語っていましたし、国内の誰もが同情したものです。誰も「イラクに侵攻されたクウェートの国民は今、大変な状況にいるので、彼らの気持ちに寄り添い、日本人はクウェートに留まるべき」だとは言いませんでした。

ところが、いざ日本で原発事故が起きると、「被災地はもっと大変なのに、こんな時に日本を離れるなんて」「自分のことしか考えないで、被災地に寄り添わないなんて」という類のことが堂々と言われるようになりました。

被災地では多くの死者が出ており、家を失った人、家族を亡くした人が大変な状況の中で頑張っていたことは広く知られていましたし、海外でも報道されていました。ただし「こんなに被災地が大変なのに、外国人は日本を離れてお気楽」というような意見が幅を利かせ始めたことに、日本に長く住んでいる筆者は暗澹《あんたん》たる気持ちにさせられました。「絆」という言葉のもと、他人の決断（たとえば日本を離れると言う決断）にケチをつけるということが堂々と行われていたのは、本来の「絆」の意味とは違う気がしました。

日本人同士もディスり合い

ところで、この「被災地が今大変なのに、あなたは…」という視線は何も外国人ばかりに向けられたものではありませんでした。筆者の友達の日本人女性A子さんは当時横浜に住んでいたのですが、震災後、何か月間は精神的に具合が悪かったそうです。もともとメンタルが強くないタイプだったのですが、テレビを含むメディアで被害の情報を熱心に追っていたところ、映像や内容がショッキングで、被災者の人の気持ちを思うといたたまれなくなり、数か月間はふさぎ込んだと言います。

ところがこの女性について知人の間では、「自分は横浜にいて、別に被災しているわけじゃないのに大げさ。本当に大変な人（被災地の人）のことを考えるべき」という発言がしばしば聞かれました。その時、「ああ、こういう展開は本当に日本的だな」と思いました。

もし欧米だったら、災害が起こった時に自分は直接の被災者ではなくても、自分の国がこんな事態に見舞われてショックを受けることは周りにも理解されやすいのです。周りに話をしていくうちに、「ふさぎ込むの、分かるよ」「自分もショックだった」「僕も今精神的に落ち込んでる」と言われることもあり、励まされることもあります。

しかし日本の場合、「精神的に落ち込んでる」という話をした時、周囲から「私もそう」と言われることが全くないわけではありませんが、Ａ子さんの例のように「当事者でもないのに甘えている」といった意見が〝主流〟だったりします。つまりは、「被災者はアナタよりもっと辛いのに、そうやって辛い辛いと周りに言うのは甘えている」というわけです。上記のＡ子さんと私の間には共通の友達・知人が何人かいるのですが、その中では「Ａ子は甘えている、もっと大変な人がいる」という意見が幅を利かせていました。

そしてその共通の友人たちというのが、これまた自分自身に常に厳しく社会的な成功を収めている人たちなのです。自分自身に対して甘えを許さない努力の人で、辛い時も自分を律して頑張るタイプ。そういう性格のおかげで仕事でも成功を収めてきたのは間違いありません。ただ、A子さんのこのエピソードがあった時、「自分に厳しい人って他人にも厳しいよなあ」とつくづく思いました。こういうシチュエーションでは、ある種の弱さがあったり自分を許してあげられたりする人のほうが、他人にも優しくなれるのかもしれません。

当時の日本には、「被災地が大変な時に、それ以外の地域に住む人の気持ちなんてかまってられない」というような雰囲気が確かにありました。つまり「被災地の人が大変な思いをしている時に、そうでない個人が辛い辛いと言うな」ということです。でも考えてみると、これはちょっと怖い発想だと思います。なんだか軍隊や戦争を彷彿させるような…。東日本大震災は程度の差はあれど、日本に住む誰もがショックだったのではないでしょうか。

ここで挙げた例も一部で見られる話とはいえ、日本の体育会系的な面をよく表していると思います。それにしても、「自分にも他人にも厳しい人」よりも「自分にも他人にも甘い人」とお友達になりたいなあ…なんて思ってしまう私はやっぱり甘いのでしょうか。

「根性論×右寄り思想」は危険

従来のニッポンの精神論「辛くても頑張る」と、アメリカ流の「常に前向きでポジティブに！」という生き方は、「混ぜるな危険」であります。いえ、あなたがメンタルに自信を持っているなら良いんです。問題はそうでない時。自分がどこかで無理をしていて、もう身体のどこにもエネルギーなんか残ってない時に、「睡眠不足だけど平気」「職場の人間関係が悪いけど平気」「家族にも辛く当たられるけど平気」「毎日愚痴を言わずに笑顔でポジティブに乗り切らなくっちゃ！」なんていうことを長年真面目にやっていると、気がつけば自分の限界を超えて、これまで押し殺してきたものがネガティブな形で他人に向かってしまいます。「こっちだって大変なんだから、あんたもウダウダ言ってないで頑張りなさいよ」という思考になってしまうのです。

過剰な「頑張り」にはそういった悪循環があると思います。自分が頑張り過ぎたり無理をすることで、他人にも同じものを求めたいという気持ちになります。自分の中で押し殺してきた「何か」が人を傷つけるのです。

でもそこから抜け出す方法は意外と簡単です。自分が辛いと感じる原因の解消を目的にすること。睡眠時間が少ないなら、長く寝られる環境を作る。今の人間関係が自分に合わなければ転職を視野に入れるなりして、そこから逃げる策を検討してみる。そのように辛さを生み出している原因を意識して自分で対策を取ることができれば、他人から相談された悩みに対しても、「ここをこういうふうに工夫したら解決できるのではないか？」というような建設的なアドバイスができるはず。そう、人に優しくなるためには、まず自分に優しく！　これ、基本です。

「自分に厳しく、他人には優しく」が理想かもしれませんが、ほとんどの人はマザーテレサのように心が広くはないので、基本は「まずは自分の欲望を満たしてから」。欲望というとなんだか欲深い人間のようですが、要は自分の幸せが満たされていないと、自分の中にある不満を「他人に高い要求をする」（「頑張れ」とか「甘えるな」）ことでバランスを取ろうとしてしまうので、結果、生きづらい世の中になってしまうというわけです。

また、根性論と右寄り思想が混ざることも危険です。たとえば「もともと日本人のほうが外国人よりも優れている」と信じている人からすれば、トラブルの原因はとにかく外国人側にあると錯覚しがちです。外国人が仕事でトラブルに巻き込まれると「外国人は勤勉ではないから」「外国人は我慢を知らないから」「外国人はワガママだから」に始まり、これに続いて「日本人は優しいから、そんな外国人も受け入れてあげている」という自己満足の結論に至りがちです。

また「外国人犯罪が増えている」というお決まりのフレーズもよく耳にしますが、外国人の流入に伴って犯罪は増えてはいません。[*23] なので、これも勝手な思い込みによる発言が長期にわたって繰り返されるうちに、いつの間にか既成事実になってしまったと言えるでしょう。

「出勤ぶりっ子」にご用心

19年４月から、日本では海外からの新たな人材の受け入れ制度が始まりましたが、残念ながら、体育会系的な思想と外国人受け入れは「相性が悪い」です。そうでなくとも外国からやってきた人が日本で生活すること自体大変なことですから、そこは周りの日本人がある程度理解して寛容な対応をするべきですが、今みたいに体育会系的な思想が蔓延している日本の社会では、「自分たちも低い給料でこき使われているから、外国人がそれより低い給料なのは当然」「自分もブラックな環境で仕事を頑張っているのだから、外国人も厳しい現場で仕事を頑張るのは当たり前」というような考えが幅を利かせています。

東日本大震災のことを書きましたが、日本ではこの「根性論」が特に災害時に前面に出てくる傾向があります。夏や秋にとにかく台風が多い日本ですが、昨年は、テレビをつけるたびに「週末には台風がやってきます」というアナウンスが聞こえ、９月上旬や10月の３連休

＊23　https://www.npa.go.jp/hakusyo/h29/honbun/html/t431000.html

の時など、超大型台風が来襲し、関東を中心に甚大な被害をもたらしました。

驚いたのは、事前に大型台風がやってくると分かっているのに社員に出勤を命じた企業があったり、会社として「この日は出勤しないように」と通達を出すべきところを、出勤するかしないかの判断を社員に任せる会社が見られたことです。「本人に任せる」というと聞こえはいいですが、普段ガチガチなルールの中で働いているサラリーマンにとって、こんな時だけ「社員の判断に任せる」というのは笑ってしまいます。

会社側の言い分としては、社員の住む場所や通勤に利用する電車の路線が違うから各自に判断を任せているようです。しかし、社として「台風の際の出社はダメ」と明確に指示を出さないことには、結局いつもの根性論が顔をのぞかせて、社員は「とりあえず出勤すればなんとかなるんじゃないか」という思考になりやすいのです。任意とは名ばかりで、「出勤ぶりっ子」を生み出してしまうことになります。

「出勤ぶりっ子」とは、「こんな悪条件の中でも仕事のことを考えて会社に来ている私・僕って偉いでしょ?」というアピールする人のことです。そんな意図はない場合も多いですが、無意識のうちについ「会社に良かれと思って」という判断をしてしまうのがニッポンのぶりっ子社員の性です。

令和元年10月13日に日本列島を襲った台風の日、ツイッターには、「＃台風だけど出社させた企業」というハッシュタグがあふれていました。ザッと名前を挙げると、ヨドバシカメラ、すしざんまい、すき家、白木屋、笑笑などの居酒屋チェーン、サミット、ライフ、ダイエーなどのスーパー、イオンなどの名前が挙がっていました。ヨドバシカメラに関しては、ツイッターによる拡散の影響か、途中からその日の店舗閉鎖を発表しました。

それにしても、「台風なのに出社を命ずる会社がある」こと自体、日本の闇を物語っているようです。大規模な台風が来ると会社も予め分かっているにもかかわらず、社員に出勤させることで命の危機が及ぶかもしれないことには知らん顔。このことだけでも相当闇が深いのですが、さらに闇が深いのは、上記のように「＃台風だけど出社させた企業」というハッシュタグのもと、社員だと思われる人が出社させられた自分の体験を書きつつも、企業名は伏せているツイートも目立ったことです。企業名を明かしてしまうと、会社側に誰がツイートをしたのかバレてしまう可能性があり、そうすると解雇される可能性があるからだと思われます。

ヨーロッパならデモが起きてもおかしくない状況なのに、日本では身バレを恐れてこっそりツイッターで発信するのが恒例となっています。バレた後のことを考えると当事者の気持ちも分かりますが、やはり顔を出して全員で連携してこの手のことと闘ったほうがよほど生産的だと思ってしまいます。

日本人にはいつでもどこでも仕事を優先するのが良いという考えが無意識に刷り込まれているため、自然災害という脅威の中でも自ずと働いてしまうのでしょう。しかし、社員にとっての万が一を考慮しない会社が普通にあるという現状では、ニッポンで働くのを嫌がる外国人が多いのも無理はありません。現に、19年7月に英金融大手ＨＳＢＣホールディングスが発表した「各国の駐在員が働きたい国ランキング」で、日本は33か国中の32位というなんとも残念な結果となってしまいました。

興味深いのは、東京や大阪が安全な都市のランキングに入っている一方で、日本では働きたくないと考える外国人が多い[*24]ことです。つまりニッポンは、シンガポールや香港のように「ワークライフバランスが良いとは言えないけれど高給」でもなければ、欧米諸国のように「賃金が高いとは言えないけれどワークライフバランスは良い」わけでもないのです。言ってしまえば、ニッポンは低収入、そしてワークライフバランスが悪いので、これでは人気がないのも当たり前と言えば当たり前です。

仕事の世界においては、皆さんシビアですから「日本の文化が好きな人は、低賃金でワークライフバランスが悪くても来てくれるだろう」なんて甘い考え方は今後通用しなくなるでしょう。

大震災で分かったカイシャの非情さ

日本の企業がイザという時に社員を大事にしないというのは、残念ながらここ数年ジワジワと外国人にも知れわたっています。きっかけはここでも東日本大震災でした。前述のように東日本大震災が起きた時、日本の人々は出国を急ぐ外国人を冷ややかな目で見ていましたが、問題はそれだけではありませんでした。

東日本大震災後の原発事故に伴う放射線漏れを恐れて母国へ一時帰国した外国人社員を、一部の日本企業は解雇したり、降格したりしました。会社によっては、「こんなことで母国に帰るようでは会社への忠誠心が足りない」ということを社員に堂々と伝えていたところもありました。

一般論として先進国出身の外国人は、命の危険があるかもしれない時に仕事を優先すると

＊24　https://www.itmedia.co.jp/business/articles/1909/27/news026.html

いうことはまずありません。日本の企業側と外国人従業員の間のそういった温度差から、当時は日本企業に裏切られた気持ちになった外国人も多くいました。それまでは、ニッポンの会社に対して「欧米の企業よりも残業が多かったり飲み会が時々あったりするけれど、安定していて社員を大事にしてくれる」という感想を持つ人もいましたが、原発事故後の対応を見て、この会社は社員とその家族の健康や命は二の次なのだな、ということを悟ってしまったわけです。

また、震災直後に「電車が動かない」と訴える社員に対して「這ってでも来い」と言い放ち、とにかく出社させようとした会社もありました。その社で働く外国人の間では長らく会社の非情ぶりが語り継がれていました。

念のために言うと、欧米人の中にもいわゆる「仕事中毒」の人はいます。ただし、「イザという時」は命や健康、自分の家族が第一です。自然災害や原発事故のような危機的状況の中、仕事を優先する人は皆無です。

このようなことを書くと、「だから外国人は薄情だ」とか「やっぱり日本人とは違う」などという声が聞こえてきそうです。しかし、日本人の中にも、「社員を守らない会社って一体何だろう」「何のために今まで滅私奉公してきたんだろう」と感じている人は少なくありません。「なんだかんだいって会社は社員である自分を守ってくれている」――こんな幻想を信じることができるのは災害のない平時だけかもしれません。

「外国人がまたわがままを言っている」「そんなに日本が嫌なら国に帰ればいい」と言うのは簡単です。実際に、そういった右寄りの発言が近年はネット上でも目立ちます。しかしこれでは自ら社畜宣言をしているようなものです。もちろんなんでもヨーロッパのスタンダードに合わせる必要はありませんが、雇用や仕事に関しては、少なくとも平社員の立場の場合、ヨーロッパ流を取り入れたほうが、自分たちにとって生きやすい世の中になるのは間違いありません。

もちろんドイツを含むヨーロッパの国々にも四六時中仕事のことを考えている「ワーカホリック」は存在します。ただし、それは社長や経営陣の場合です。いわゆる平社員の「使われている立場」で、仕事のみを優先して考える人は皆無だと言えます。

当然、決められた時間内は仕事をしますが、「家族や自分の健康よりも仕事」と考える人はまずいません。そこは、ぶっちゃけ「ドライ」です。日本の一部のブラック企業でタチが悪いのは、平社員にも「四六時中仕事のことを考える」ことを求めがちなことです。しかし本来は平社員自身も変な夢を見ないで、給料は9時5時分のもの、と割り切って働いたほうが幸せになれるというものです。

見逃せないのが、日本以外の先進国では「人々の人生」というものがもっとフレキシブルに考えられていることです。これは、既に小学校で始まっています。日本ではやけに「きっちり」していて、3月生まれの子どもはどんなに身体が小さく、まだ幼くても、小学校1年生に入れられてしまいます。誕生日によって、「くっきり、きっかり」と「ここからは今年1年生」と分けられてしまいます。

ヨーロッパの場合は、「この子は6歳になったばかりで、まだ遊び盛り。勉強するには落ち着きが足りないので、小学校1年生に上がらせるのは来年にしたい」と親が望めば、その通りにできます。たとえばドイツでは小学校やその後につながる学校で、1年の成績が芳しくないと落第し、1学年を2回やったりしますし、学業の途中で1年アメリカにホームステイして

現地の学校に通い、ドイツの学業を中断することもできるので、同じ学年でもさまざまな年齢の子がいます。当然、ギムナジウムの卒業時にも18歳の子がいたり、19歳の子がいたり、20歳の子がいたりします。

さらに大学に入る前に1年間世界を放浪する旅に出たり、1年間国内でボランティアをする人もいます。大学に入ってからも、選考する学科によって大学に通う期間も違いますし、当然大学卒業時の年齢も異なり、就職活動をする時期も全員バラバラです。

実は就職活動に関しては、日本のほうが大学側も企業側も面倒見がよく、日本の会社には「新人を育てる」という良さがあることは指摘しておかないとなりません。その一方で、日本では全員が大学在学中の決まった時期に就職活動をし、卒業時の22歳で就職するため、年齢的にも経歴的にも「周りと違う」人は浮いてしまい、いったん道から外れるとなかなかやり直しが利かないという難点があります。

外国人には不可解な「食べて応援」

原発事故以降、日本では「食べて応援」が良いことだとされています。電車の中でもそういったキャッチフレーズが書かれた中吊り広告をよく見かけますし、この「食べて応援」は日本人が団結する上で一つのキーワードとなっているように感じます。その根底には福島の農家を応援したいという気持ちがあります。

ただ、これを外国の人と共有しようとするのは時に無理があると思っておいたほうが良いでしょう。ドイツに住むドイツ人の知人は、仕事で付き合いのある日本人から送られてきた福島のお米を「捨てた」と言っていました。ひどいと感じるかもしれませんが、この手の話はちょくちょく聞くのです。

しかし忘れてはならないのは、実際に福島原発事故は「あった」ということです。そして放射線も飛散し、その程度は深刻な事故を意味するレベル7となってしまいました。そういった事実がある以上、日本、特に福島からの食べ物を怖がる、避けるという人がいても当たり前だと受け止めるしかありません。

逆の立場になって考えてみると、分かりやすいかもしれません。もしもアフリカの某国のある村から、「村の子どもたちとみんなで一緒に作りました」とお菓子が送られてきたとしましょう。でもその村ではアメーバ赤痢が流行っていることを知っている場合、たとえ検疫を通ったものでも、あなたはすんなりと食べられるでしょうか。とても悔しいし悲しいけれど、そういうことなのです。

もちろん検査で問題がなければ特に気にせず食べる人はいますし、私自身も実際に食べています。ただ、「日本が好きだから」という信頼感のみで、原発事故があったにもかかわらず、海外の人が何でも産地を気にせずに食べることはまずありません。

体育会系的な考え方の怖いところは、「被災地は頑張っているのだから、世界は無条件でそれに応えるべきだ」と信じて疑わないことです。そこに「日本のものであれば無条件で信頼されるはずだ」という、ちょっぴり愛国的な思想が加わると、もう目も当てられません。

念のために言うと、福島産の桃などは私も好きでよく食べていますが、原発事故が起きている以上、世界の人々の福島産の食べ物に対する「不安」も理解できます。私自身は中年ですが、小さな子どもを連れている外国の友人に「さあ、福島産ですよ、どうぞお子さんと食べて食べて」とは言えません。悲しいけれど、そこは「それぞれに考え方がある」「その人なりの不安がある」ことを認識できれば、今後外国人との交流も楽になるでしょう。

ラマダンも「サボり」になる

「やればできる」の体育会系思考に見える「頑張り至上主義」。日本ではとにかく頑張ることがもてはやされがちですが、「頑張り」を追求することで結果的に外国人に対して冷たくなってしまっている現状は見逃せません。というのも、ニッポンの頑張りは「仕事」が中心です。しかし外国人にとっては、大事にしたいものはそれぞれ違います。

ドイツを含むヨーロッパには多くのイスラム教徒が住んでいます。一概には言えないものの、文化の違いからトラブルが生じることが少なくありません。イスラム教の人は豚肉を食べませんが、いわゆるドイツ料理には豚肉がメインのものが多いです。そのため、豚肉を食べないイスラム教徒のことを快く思っていないドイツ人が一部にいることもまた事実です。

ドイツの一部の幼稚園や保育園、学校の食堂が食事のメニューから「豚肉」を取り除いたところ、ドイツでは各方面から非難の声が相次ぎました。それを受けて18年、メルケル内閣で連邦食糧・農業大臣を務めるユリア・クレックナー（Julia Klöckner）氏は、この問題について「豚肉を食べるということを強制するのはいけないが、メニューの多様性は大事。何よりも栄養面のバランスが大事です」と語り、豚肉が排除されたことに対して遠回しながらも疑問を呈しました。

実際には、ドイツの学校などから豚肉が一部消えたのは、イスラム教の子どもへの配慮という面だけではなく、ベジタリアンである生徒への配慮でもあるのですが、一部の人は「イスラム教徒のせいで豚肉が消えた」「イスラム教徒がドイツの文化を否定している」「イスラム教による文化の侵略だ」という類のことを言いながら非難しているというわけです。

豚肉以外の面に関しても、「お酒を飲むドイツ文化」と「お酒がタブーのイスラム」、「男女対等で交流がオープンのドイツ」と「男社会と女社会がキチッと分かれているイスラム」というように対照的なので、何かと差異が目立ち、トラブルの元になっているのは確かなのです。

イスラム教徒と関わっている知人から話を聞くと、日本では生活習慣の違い自体を否定的に見る人はむしろヨーロッパより少ないと感じます。ただし、仕事というものに少しでも影響する場合、日本人は本当に厳しいのです。というのも、日本では私生活を犠牲にしてでも仕事に打ち込むことが「当たり前」だとされているため、「私」にまつわる事情が「仕事」に影響を及ぼすことを許さない雰囲気が社会の中に確かにあるからです。

イスラム教やキリスト教など一神教の国では、信仰にまつわる活動（礼拝や祈りなど）は社会の中で「当たり前のこと」と位置づけられていますが、日本で「信仰」というと「私」の印象が強くなります。そして仕事の中で「私」を出すことは良くないとされているため、自分の信仰を大事にしたいと考える人にとっては、日本は必ずしも居心地が良くありません。

「日本人にとっては仕事が宗教」という言い回しがありますが、実際に当たっている部分もあると思います。

イスラム教徒の外国人と同僚だったという日本人男性は、同僚のことを「祈りの時間が決まっているようで、仕事中でも気にしているようだった」「忘年会でお酒や豚肉がダメなので、気を遣う」「家族の用事や祝い事で休むことが多かった」と語っていましたが、これなどまさに「仕事を中心に考えろ!」というのがこの男性の本音なのだなあと思わせるものでした。

なかでも印象に残っているのは、「仕事だと分かっているのに、あえてラマダンをやるのはどうかと思う。仕事に支障をきたす」という意見でした。ラマダンとは毎年1か月くらい続く断食のことですが、日中は飲み物や食べ物を口にすることが許されないため空腹になりますし、食事は日が暮れてから摂らなければならないため夜更かしになりがちです。確かに「日中の仕事」を中心に考えると、集中力やパフォーマンスは落ちるでしょう。

残念なのは、ニッポンではなんでもかんでも「仕事のパフォーマンスが落ちる活動は不可」と考えられていること。これは宗教に限った話ではなく、男性の育児休暇取得が他の先進国のようにスムーズに進まないのも、「仕事にポジティブなことはないから」ではないでしょうか。ニッポンの「仕事第一」の感覚では、人権や家族、宗教やワークライフバランスといった観点がスッポリ抜けていると言わざるを得ません。

「仕事命」の考え方が結果として、他者に対する不寛容さにつながってしまっています。仕事以外のあらゆることが日本だと「サボっている」というふうに捉えられがちなのがつらいところです。

また、「そんなに趣味など仕事以外のものが大事なのなら、仕事をやめるべき」というような極端な意見も時々聞きます。日本ではコト仕事になると、「個人の自由は認められるべき」と考える人は実は多くありません。

世界は広いので、仕事よりも宗教、家族、趣味や旅行が大事だと考える人もいて、むしろ人生の優先順位のトップが仕事ではないという価値観は世界のスタンダードだったりします。そういった仕事以外のものが最大の生きがいであったとしても、当然、仕事を真面目にする人は多くいます。なので、「仕事以外のことが大事である人」＝『私』を仕事に持ち込んでサボる人」という見方をするのは短絡的です。残念ながらニッポンではよく見られる傾向ですが。

「外国人は自国で頑張るべき」

１９９３年にスタートした外国人技能実習生制度。スタートしたのが27年前なので、実はだいぶ前ですが、前述のように近年はそのブラックな労働条件がメディアで話題になっています。

仕事中に怪我をしても労災申請をしてもらえなかったり、病気になったら国に帰らされたりと、「外国人技能実習制度」は一種の奴隷制度のようだと話題になっています。実習生が業務中にトイレに行くたびに〝罰金〟と称して給料から引く雇用主がいたり、当たり前のようにセクハラをする社長がいたりと、この手の話は枚挙にいとまがありません。「どうせ、日本語ができないし、3年したら帰るし、こちらの都合の良いように使い倒してしまえ」というブラック経営者の餌食になるのが技能実習生というわけです。

技能実習生の多くはベトナムなどアジアの発展途上国から来る人たちですが、彼らは日本で働きたいはずだという「驕《おご》り」も日本側にありますし、人権が無視されている背景にはひと言では表せない様々な要素が絡んでいます。

ただ悲しいのは日本ではこの手の話になると、必ずどこからか「日本に来たのは自己責任」といった類のことを言う人がいることです。技能実習生に限らず、日本に住む外国人がトラブルに巻き込まれたり、理不尽な立場に立たされたりしてその状況を嘆くと、どこから必ず「自分の国で頑張ることもできたのに、好きで日本に来たのだから仕方ない」という声が聞こえてくるのです。

「自分だったら自分の国で頑張る」「自分は日本人だから何があっても日本で頑張る」という意識が強い人が多いから、「外国に行く」ということを特別視してしまい、日本にいる外国人がひどい目にあってもあまり同情できないようなのです。教育現場では「自分に置き換えて考えなさい」とよく言われますが、この場合は「自分に置き換えて」考えれば考えるほど、外国人に対して冷たくなってしまう、というのがなんとも皮肉です。「自分は日本人で日本で頑張っているのだから、外国人も自分の国で頑張るべき」という悪い意味で愛国的な考え方をする人が近年の日本には多いのです。

「お前、カネだけなのか」に爆笑

仕事を斡旋する派遣会社も体育会系的な考え方のもとに動いていることがあります。本来、派遣会社は、求人企業に人材を紹介する立場なので、その際「お金」に関しては双方がウインウインであるように努めるべきですし、ある種のドライさも求められます。ところが、ニッポンの一部の派遣会社に関しては、どうやら事情が違うようです。

東京の外資系ＩＴ企業で働く欧米人の間で笑い種になっているフレーズ。それは「お前、カネだけなのか」というものです。「派遣会社を変えたい」と申し出た人に対して派遣会社の担当者が放ったひと言です。

米国からの帰国子女である男性Ａさんは、ニッポンの派遣会社Ｘから、ある大手の外資系ＩＴ企業に派遣されました。しかし外資系の派遣会社Ｚから同企業（大手の外資系ＩＴ企業）に派遣された人のほうが条件がいろいろと良いことが分かったため、働いて１年が経った頃に、派遣会社Ｘにやめることを伝えたところ、いろいろと理由を聞かれ、それとなく条件が悪いことを話すと、Ｘの担当者からこの「お前、カネだけなのか」を言われたというのです。

後にＡさんが同じ業界で働く欧米人との飲み会の席でそのことを話したところ、そこにいた欧米人全員が一瞬「…」と沈黙し、それから大爆笑しました。なにがおかしいって、「人が働くなんてカネありき」なのに、「お前、カネだけなのか」という分かり切ったことを聞く会社がニッポンにはあることです。

共産主義の国ならいざしらず、資本主義において雇われるということは、つまりお金が大事なわけですが、精神論が蔓延しているニッポンではなぜか「カネではなく信頼関係だ」とか言い出すワケの分からない人がちょくちょくいます。その派遣会社Ｘからすると、「最初にＡさんを企業に紹介したのは我々なのだから、Ａさんは我々に恩がある。だからわが社の派遣をずっと続けるべき」ということなのでしょう。Ｘの場合、お金のことをうるさく言わない社畜型の派遣社員に恵まれてきたためか非常に強気だったといいます。もちろん帰国子女のＡさんが、その後条件の良い派遣会社Ｚに移ったのは言うまでもありません。

「カネじゃない」「信頼が大事」「やりがい」などのフレーズを出してきて「とにかく続けることが大事なんだ」というような精神論を振りかざす人がいたら、要注意です。この手の〝やりがいメルヘン〟からは早く逃げないと、「労働に見合った収入」にはいつまでたってもたどり着けないでしょう。恋愛でもないのにやたら気持ちの話をして、お金アップの話をしないカイシャとは関わらないことです。

あなたの「体育会系度」をチェックしよう

〈外国人編〉

- □「日本はこんなに素晴らしい国！」と謳うバラエティー番組は欠かさず見ている
- □原発事故や地震の後など、海外に逃げる外国人は薄情だと思う
- □英語ができないので、英字のニュースはチェックしない
- □日本のやり方に意見する外国人には国に帰っていただきたいと思う
- □なんだかんだいって日本人が一番勤勉で、外国人はいい加減だと思う

⇒上記の３つ以上が当てはまったら、あなたは右寄りのド根性の人です。まずは深呼吸をして肩の力を抜き、落ち着きましょう。

第5章 「世代論」から抜け出せない人々

欧米は全員「ゆとり世代」

「最近の若い人」を疑問視する発言は、今も変わらずよく聞こえてきます。パターンは様々で、例はザッとこんな感じです。

「最近の若い人は元気がない」

「最近の若い人は消費をせず内向き」

「最近の若い人は自分のことしか考えない。人のことを考えなさ過ぎる」

「最近の若い人は自分の権利ばかりを主張する」

「（スマホの普及で）なんでもＬＩＮＥなどで済ませちゃうから、最近の子は対人関係が苦手」

これらの主張はほぼ同じです。要は「自分たちの世代から見ると、最近の若い人のやっていることには納得がいかない」というわけです。５０００年前、エジプトのピラミッドの建設に携わった人々もピラミッドの人目のつかない場所に「最近の若者は」と「嘆き」の落書きをしたぐらいですから、ある年齢に達した人が「最近の若者はどうも○○でだらしない」といったことを言うのは今に始まったことではなく、またニッポンに限らず万国共通なのです。

ちょっと違うことといえば、ニッポンの場合はこの手の発言がメディアも含め比較的「堂々」と行われていることだと思います。私の出身のドイツでは、この手の「最近の若い人は…」というようなことを言ってしまうと、「自分の頭の中は老人ですよ」と自ら暴露しているようなものなので、そんな勇気のある人はいません。だから欧米の人は、仮に頭の中で「最近の若い人はちょっと…」と思っていたとしても、そこは自分のイメージを気にして、この手のことを口にすることはまずありません。

メディアに関してもそうで、ドイツのメディアは「人をカテゴライズする」ということには敏感なので、いわゆる「女性だから、こういう事をしてはいけない」というようなことが

読めてとれる「性別に関する決めつけ」はもちろん、「何歳の人はこのようにふるまうべき」だとか「何歳の人はこういう考え方である」というふうに人をカテゴライズして「世代ごとに振り分ける」ということはあまりしません。

話が飛ぶようですが、19年のドイツの夏は例を見ない猛暑だったこともあり、トップレスで公園や川沿いなどで日焼けをしたり涼んだりする女性が多発し、これを警備の人が注意したところ「男性はトップレスで日焼けしているのに、女性ばかりがトップレスがダメというのはおかしい！」という抗議のムーブメントが女性たちの間で起こり、外国でも話題になったほどです。[*25]

この例を見ても分かるように、ドイツにおいては「女性はブラジャーをつけるべき」だとか「女性だからビキニのトップをつけるべき」という類のことを言うことさえも「カテゴライズ」にあたる可能性があり、話題としてはセクハラ以前に非常に危険なゾーンなのです。

そんな雰囲気がドイツにはあるわけですが、日本ではメディアも含め皆さん比較的直球に人をカテゴライズします。そのため「若者批判」も比較的オープンに行われている印象を受けます。少し前までは会社の中間管理職などから「最近の『ゆとり世代[*26]』は使えない」といった愚痴をよく聞きました。

私も社会的地位の高いある日本人からこの手の愚痴を聞きましたが、話をよくよく聞いてみると、「定時に帰る」だとか「まだ入社して1年ちょっとなのに有休はキッチリ申請して、権利意識が強い」とかそんな話で、私は内心、「そんなことを言ったら、ドイツ人やヨーロ

＊25　https://www.newsweekjapan.jp/stories/world/2019/06/post-12418.php

＊26　文部科学省の学習指導要領等の変更に基づいて、「ゆとり教育」を受けた世代は１９８７年４月２日～２００４年４月１日生まれだとされており、この間に生まれた人々がいわゆる「ゆとり世代」とされています。

ツパ人は全員ゆとり世代じゃん！」と心の中でツッコミを入れていました。

「少子化だから産もう」なんて人はいない

「ゆとりは打たれ弱い」などと一時期騒がれた「ゆとり世代」ですが、それよりもさらに若いのが「さとり世代[*27]」です。「さとり世代」は日本が不景気になってから生まれた世代だということも関係しているのか、世間では「欲のない世代」だとして話題になっています。いわゆる「贅沢」に関心を示さず、海外にあまり行こうとしない、車に興味を持たない、ブランドの高い服よりもファストファッションを好む…などが定番表現です。

「ゆとり世代」がバブルを経験した親から生まれているのに対し、「さとり世代」に関しては彼らの親自身が「大人になってからのバブル」を知らないため、ある意味自然な現象なのかもしれません。

確かに「消費」の面から言うと、バブルを経験した世代は貪欲で、80年代には今よりも「趣味はショッピング」と公言する女性は多くいました。景気や時代の変化とともに消費行動が変わるのはいわば当たり前ですが、それとは異なる「人間関係に関する欲」が薄いことについても、「恋愛をしたがらない」「結婚をしたがらない」といった具合に若い世代を何気なく批判する風潮がニッポンにはあります。やはり超高齢化社会において「自分たちの価値観が絶対的に正しい」と思いこむシニアが多数派なのです。

昔は「結婚してこそ一人前」というような感覚があり、「いい年をした大人が独身」だった場合には、会社の上司やら親戚やらが「結婚は？」とこぼしながらもいい人を紹介してくれたりと「お見合いおばちゃん」的な人が周りにたくさんいました。しかし、その時代というのは、女性はいわゆる「寿退社」が当たり前で、結婚や子どもを持つ＝女性は専業主婦になることを求められました。そうしたことを考えると、果たして当時のほうが「良かった」と言えるのでしょうか。少なくとも女性にとって選択肢が限られていた時代だったことは事実です。

今の若い人は結婚しないとか、少子化がどうのという批判も考えてみたらおかしな話です。「国の人口が少ないから子どもを産もう」と考える人は、戦時中またはよほど右寄りでない

＊27　「さとり世代」は「ゆとり教育」終了後に義務教育を受けた世代だとされています。ただ何年生まれからが「さとり世代」なのかという定義は曖昧です。「さとり世代」は「若いはずなのに、人間に本来あるはずの煩悩を捨て、『欲』というものから全面的に開放されて『さとりの境地』に達している高僧のよう」という特徴があることからこの名前がついたとされています。

とそういないでしょうし、「独身でいる」ことも「結婚する」ことも「子を持つ」ことも「子を持たない」ことも、その決断は自分自身の状況や幸せを考えた上でのものであって、「誰かのため」ではないはずです。

「働き方」に関しては、世界の先進国はどこも「ワークライフバランスを大事にしよう」というのが現在の主流です。日本でも「残業はしないほうがいい」という企業が増えました。しかし有休に関しては、日本は他の先進国に比べると「消化率が低い」という問題がありま す。1週間以上会社を休むと「休み過ぎ」と思われたり、自責の念にかられたりするのは、世界を見ても日本人ぐらいです。

ヨーロッパ諸国など他の先進国では「しっかり体を休める」ことが大事だという共通認識がありますし、日本のように「休みは権利ではなく『いただくもの』」だとか「堂々と休むのは良くない」というような概念は皆無で誰もが堂々と休んでいます。休みを長くとるのも、ヨーロッパ人曰く、「1週目は仕事の疲れを取るだけの期間。疲れが取れていろいろと活動したくなるのが2週目、そして3週目に体は本調子を取り戻し完全にエンジョイできる」という具合で、1週間では真の休暇とは言えないというのが一般的なコンセンサスです。同時に、ドイツを含むヨーロッパでは有休をとることは当然の「権利」と考えられています。

「ゆとり世代やさとり世代はやたら権利を大事にして残業しない」だとか「最近の子は新人なのに有休を取る」なんてことを言っている人は、世界の先進国の大半の人々が、若かろうが中年だろうがもうじき定年を迎える年だろうが、日本で言う「ゆとり世代やさとり世代の感覚と最も近い」ということを自覚しておいたほうがいいかもしれません。もし社長や経営陣が「さとり世代は…」「最近の若い社員っていうのは…」などと語り始めたら、この会社はもしかしたらブラックかもしれないと警戒するぐらいがちょうどいいと言えます。

この「〇〇世代はダメだ」という発言の後に続くのはだいたい、「仕事で言われたことしかやらない」「タイムカードをキッカリ定時で打刻して帰っている」「部署での飲み会を嫌がる」「社員旅行を嫌がる」などでパターン化しています。しかしどれをとっても、世界の先進国を見れば平社員なんて「そんなもの」です。

もちろん、あまりにも「言われたことしかやらない」のも問題です。ある程度は自発的に動いてほしいところですが、かといって業務に関係のないことまでやる必要はないですし、その類のことを「自分の若い頃は言われなくてもやっていた」などと愚痴ってしまうこと自体がもうバリバリなブラック思想です。改めるべきは経営陣側の考えのほうであり、「ゆとり」「さとり」などの若い世代の価値観ではありません。

若者の「割り切り」は当然

「最近の若い人は自分でモノを考えない」とか「最近の若い人は自発的に動かない」などと嘆く人こそ、いざ若者が自発的に動くと、「ホウレンソウ（報連相）を怠った！」などと騒ぎ出すのでタチが悪いです。「最近の新入社員はスマホばかりで対人スキルが低い」と言っている人も、自身がデジタル音痴ゆえに負け惜しみの場合があります。それに、「対人スキル」というのは人を非難する時に大変便利な言葉です。なぜなら、自分の思い通りに動いてくれない人のことをとにかく「対人スキルがない」と言っておけば、「もっともらしく」聞こえるからです。

それにしてもニッポンでの「若者叩き」は長きにわたり市民権を得ています。私は中学校の頃に土曜日はミュンヘンの日本人学校に通っていたのですが、そこでは日本国内の公立の中学校と同じ教科書が使われていました。その教科書の中に「無言化社会の中で」という文章がありました。大学教授でもあった樺島忠夫氏が、「最近の若者は用件があっても、私の大学の机の前に突っ立っている」という、いわば対人スキルが低い若者を非難する内容でした。

80年代にはまだネットも携帯もないのに、今考えるとビックリですが、中学生用の教科書にこういう文章を載せてしまうということは、それだけ堂々と若者叩きをすることをニッポンの世間はいつの時代も受け入れてきたということでしょうか。

令和の時代は、昭和の時代と比べると「会社での人間関係を仕事以外の場でも大事にしよう」と考える人は確実に減りました。「会社の人との飲み会はスルー」などが典型です。高度成長期やバブルの頃のように、会社でコツコツ働き会社の人間関係さえ大事にしていれば、終身雇用が保障されていたり、ボーナスや退職金もそれなりにもらえていた時代は終わったのは誰もが認めるところなので、「今の若者」（あ、言ってしまいました…）が「仕事はあくまでも仕事としてやっていきたい」というビジネスライクな考え方になるのは当たり前です。「最近の若い者は…」と言っている人は無意識のうちにバブル時代を懐かしがるとともにその時代の「人間関係における当たり前」を今の時代にも求めているわけですが、単刀直入に言うと「もらえるお金」が少なくなってきている今の時代には通じません。今や「24時間戦えますか」ではなく、業務時間内に仕事がスムーズにいくような工夫はするけど戦うことまではしたくない、と考える人がほとんどではないでしょうか。

昔も今も、そして海外でも日本でも「最近の若者は」とブツブツ言いながら下の世代に辛く当たる人には、「嫉妬」の感情があることが多いです。それは同居の姑がヨメをいじめるのと同じようなもので、まあ簡単に言ってしまえば「自分が若い頃はあれだけ苦労して先輩に気を遣いながらやってきたのになに？　今の若い人はドライで、全然私を気遣ってくれないし、苦労もしていないじゃない」という心理です。

上皇后も「アプレ世代」

ここに書いていることもそうですが、「バブル世代」や「ゆとり世代」、「さとり世代」等の話になると、メディアではしばしば世代間の対立のように扱われます。確かに経済的に日本が元気だった時代を体験していない「ゆとり」や「さとり」が、高度成長やバブルを味わった人に対して「そっちはおいしい思いを散々しやがって」と思うことがないとは言いませんが、自発的にそう思うというよりも、年長者の「最近の若い子は…」という小言に対し「なんだよ、そっちは時代が良かっただけじゃないか」とリアクションをしているに過ぎません。最初からバブル世代を疎ましく思っているというよりは、何かと説教されたりした結果、そうなっているようです。

もしあなたが先輩としてよかれと思っても、「最近の若者は冒険しない」などとは少なくとも仕事で関わっている「ゆとり」や「さとり」の後輩に言わないに越したことはないでしょう。「冒険しない」と言われても、ない袖は振れないですし、当然冒険もできないわけですから…。

第二次世界大戦中に子ども時代や思春期を過ごした世代が、戦後ニッポンでは「アプレ世代」と呼ばれていました。「アプレ」とはフランス語で戦後を意味する「アプレゲール」(après guerre) から来るものです。興味深いのは、この「アプレ」は若者を非難するような文脈で使われる言葉だったことです。過去の資料を読むと、「アプレ気質」という言葉がしばしば登場し、どうもこの表現は、「多感な時期を戦争下で過ごした影響で、どこか不安定で衝動的な若者」のことを指しているようです。

たとえば、戦後の若者が起こした事件として「日大ギャング事件」（１９５０年に日本大学の男性運転手が職員の給料を強奪）や「築地八宝亭一家殺人事件」（51年に築地の中華料理店「八宝亭」に住み込みで働いていた当時25歳の男が、経営者の男性およびその家族を殺し現金等を奪った事件）が知られていますが、この手の犯罪は当時「アプレゲール犯罪」と呼ばれており、「アプレ世代は反社会的行動が目立つ」といった見方もなされていました。

現代の中年期以降の人は「ゆとり」や「さとり」を「学校教育が甘かった」などと叩きま

すが、なにもこれは新しい現象ではなく、戦後の若い世代も「戦前の価値観が崩壊したから今の若者は道徳心がない、無軌道だ！」と言われていました。実際にこの世代が徒党を組んで愚連隊をつくったりして治安を悪化させた面もありますが、今から見れば、自分たちが戦争を引き起こしたことは忘れて「若者がおかしくなっている」と真剣に考える姿は滑稽です。むしろ戦争によるトラウマや貧困が戦後の若者による犯罪の原因としか思えないのですが、いつの時代も中年や老人が「最近の若い人は…」とやってしまうのは笑えます。

ところで昭和30年1月15日の讀賣新聞の「成人の日　記念感想文入選作品『はたちのねがい』」という記事に今の上皇后の感想文が載っています。二位に入選した「虫くいのリンゴではない」（正田美智子）というエッセイで、ここでは当事者として「アプレ気質」に触れていてとても興味深いです。アプレ世代に対する世間の否定的な見方に折れることなく、未来に希望を持って前向きに生きていこうと述べています。

「甘やかされると犯罪に走る」と考える人々

昨年、練馬で元官僚だった父親が引きこもり状態の40代の息子を殺す事件がありました。「人に迷惑をかけると思った」と供述しています。子どもの引きこもりによって本人にも家族にも不幸が降りかかるのは痛ましいですが、それにしても驚くのはこの事件では親がわが子を殺《あや》めたにもかかわらず、世間では「あの父親は責任をとった」などと父親の肩を持つ人が少なくないことです。これなどまさに何がなんでも親というものは敬うべきで、かつ親が正しいという空気が世にあるからではないでしょうか。余談ですが、アルコール依存症で家で酒を飲みながら年柄年中暴れ、息子の受験勉強のジャマをしていた父親が息子の手により殺された際には、あまり息子に同情する世論はありませんでした。

見逃せないのは、この元官僚の家では、殺された息子が子どもだったころ、母親が「息子が勉強していなかったり、成績が悪かったりすると、息子のプラモデルを壊していた」こと。息子のストレスは相当なもので、その後中学生に上がったころから母親に対して暴力を振るうようになります。

幼少期から家庭内の環境はかなりおかしかったのに、そのことに関心を持つ人は少なく、むしろ「親が子どもを甘やかしていたからこうなった」的なことを言う人がいます。確かに息子が大人になってからも親は息子の住むマンションを用意したり、金銭的に援助していたので、そういう意味では甘やかしていたのかもしれません。

しかし子ども時代のエピソードを読むと甘やかしからは遠く、そこから見えてくるのは「見栄のために、とにかく良い学校や良い成績にこだわる」親の姿です。息子の成績のためなら息子の好きなプラモデルを壊したり、体罰を加えたり、息子が私立校でイジメに遭っても親がその事実を深刻に受け止めず知らん顔をしていたことで息子の人格の歪みにつながったことは否定できません。

この「甘やかしていた」というのは実に便利な言葉です。私の周りにも、若い世代が何か事件を起こすと、即「甘やかされて育っているからだ」と口にするお年寄りがいます。話を聞くと、どうも本人は本当に「この世の全ての事件や悪いことは甘やかされてきた人が起こしている」と信じきっているようです。確かにこの思考回路だと、悪いのは犯人のみで、その「動機」や「理由」について考える必要がないので、「甘やかされた」にしてしまえば、分かりやすいのでしょう。

私は先日、その「甘やかされた」を連発する70代女性に、「虐待する親についてどう思うか」と尋ねてみたところ、案の定、「虐待する親は甘やかされて育ったからこうなる」との持論を述べてくれました。ここでは、世界の先進国の精神科医が語る「虐待は連鎖する」、つまりかつての被虐待児が大人になり子どもを持つと今度は虐待をする側にまわってしまうことが少なくないという点については完全に無視されています。

「老害」という言葉はあまり使いたくありませんが…こういうなんでもかんでも「甘やかされているから」で終わらせてしまい思考停止してしまう人って、一体何なのでしょうか。

受験がきっかけの「教育虐待」

ちなみにドイツでも、昔は「子どもを甘やかすのは良くない」「子どもがヘンなことをしでかすのは厳しくしつけなかった結果」だという「教育論」がまかり通っていました。しかし今は、体罰を含むかつてのスパルタ教育は「黒い教育」（ドイツ：schwarze Pädagogik）と呼ばれ、子の人生を台無しにする非人道的な行為とされています。

日本では昨年、家庭での「教育虐待」が話題になりました。16年、名古屋で当時12歳だった子どもに受験勉強をさせていた父親が自宅で子どもを刺し殺しましたが、この父親は普段から「(勉強が)できないと殺すぞ」など息子にヤクザまがいの罵声を浴びせたり暴行をしていたといいます。これも一つのきっかけとなり、親による「受験」を理由にした「教育虐待」が問題となっています。

小学校や中学校受験を勝手に決めてしまったり、どう考えても集中できるとは思えないほど長い間、子どもに勉強を強いたり、学習でつまずく子どもの人格を否定したりなど、実際に暴力は伴わなくても精神的に子どもをじわじわと追い詰める親のことがメディアで話題になりました。

子どもが気の毒なのはもちろんですし、教育虐待はどんな形でも厄介ですが、問題のある親を見ると、大きく3つのパターンがあると言えます。

1つ目は、これは先進国の中で見られるのはニッポンぐらいのものですが、「母親が専業主婦のため、出来の良い子どもを育て上げることが生きがいのようになっている」ケース。家の外で働いていれば、お母さんの興味は子ども以外のところにも分散されますが、そうではない専業主婦の場合はまさに子育てが仕事という自負を強く持つ傾向があり、これが時に子どもへの過剰な期待につながります。

また、専業主婦は外で働いているお母さんと比べて、「時間」も「エネルギー」もありますので、子どもの受験に時間を全部使えてしまうことが良い結果につながることもある一方、子どもにその指導が「響かない」場合には良からぬ結果につながることもあります。

２つ目のケースは、自分自身はそれほど学歴が高くないのに、子どもの受験に親が悪い意味で取りつかれてしまった、というケースです。前述の名古屋のケース（父親が12歳の息子を殺したケース）も父親の佐竹憲吾被告は大学には進学しておらず、「子どもに受験を強いる層」としてはやや少数派かもしれません。誰であれわが子の教育に熱心なのは良いことですが、コンプレックスの裏返しなのか子どもを過剰に締めつけ、乱暴な方法で子どもに言うことを聞かせるケースも目立ちます。

そして３つ目は、高学歴の親によく見られるのですが、「自分も受験を勝ち抜き良い学校に入ったのだからこの子もできて当たり前」と思い、教育虐待につながってしまうケースです。ここでの大きな問題は、「子は私の分身」「子は自分の所有物」といった意識や、「子どもに学歴がないと恥ずかしい」という親の見栄が関わっていることです。

親子関係に限らず、たとえば会社の上司と部下にも当てはまることですが、この「自分が成し遂げたから他人も同じことができるはずだ」という過度な期待が目の前の相手を精神的に追い詰めてしまうことは珍しくありません。「ウチの子はここまでかな」と親のほうで

「加減」を上手く調整する必要があるわけですが、時に「子育て」は、親にとって「世間から見て恥ずかしくない結果を出したい」という思いにつながることも多く、「実は子ども自身よりも世間体《せけんてい》が大事」というケースがまま見られるのは残念です。ただ近年は、それが「教育虐待」という概念でメディアなども取り上げられるようになったのは、一つ大きな前進だと言えるでしょう。

それにしても、教育が何のためにあるのかと言えば、「将来、仕事をして自立して生きていくため」ですが、そのためには大人になった時点で本人に「やる気」があることが大事です。その意味では、どういうやり方であれ、子どものやる気をなくさせるような指導は本末転倒と言わざるを得ません。一番大事なのは「子どものやる気と根気を大事にしてあげること」――これに尽きるのではないでしょうか。

尊敬できない親もいる

どこの国にも「親は尊敬しましょう」という教えはあります。思えばあの「十戒」にも、「父と母を尊敬しましょう」という項目があるわけです。ただ近年のドイツではかつての体罰を含む「黒い教育」（ドイツ語：schwarze Pädagogik）が問題視されていますし、ニッポン同様「虐待（性虐待を含む）する親」も問題になっています。

先日、千葉県野田市の栗原心愛《みあ》さんの虐待死亡事件が話題になりましたが、ドイツにも似たような例はあります。さらに欧米では「麻薬によって正気を失った親が子どもを虐待死させる」事件も多々起きています。なので当たり前ですが、世界的に虐待は見られ、麻薬が絡むとむしろ日本より残虐なケースも目立ちます。

ただし制度面では、親の虐待が発覚すれば親権剥奪もドイツでは可能なので現実的だと言えます。それも含めて、欧米では日本よりも「親への幻想」は低いと思います。とはいえ、福祉の人手不足はどこも同じで、その結果、痛ましい事件が起きるのも残念ながら共通しています。ただ親権剥奪が可能なのと、かねてより自国はもちろん外国から養子をもらう文化がドイツにはありますので、「ヤバい親」からは子どもをなるべく早く引き離し、血のつながりはなくともマトモな親と出会わせるべきというコンセンサスがあるのが救いです。

今の時代、「虐待する親」は欧米でたびたびニュースになっていますので、昔のように「何がなんでも親は尊敬しなければいけない」と考える人は減りました。もちろん普通に育ててくれる親は尊敬されるべきですが、虐待や性虐待をする親は尊敬しなくて良いですし、こういった場合の「尊敬しなくて良い」は欧米社会のコンセンサスになっています。

ところがニッポンでは性善説もあるのでしょうが、「親は尊敬すべき」と考える人が多く、たとえば性虐待について「全然考えてもみなかった」と「のんき」に語る人もいて、危機感を抱いている人が少ないです。そのため、実際に親や親戚から虐待などの被害に遭った人は行き場がなくなってしまいます。

日本の学校教育では、「お父さんとお母さんを尊敬しましょう」とか「お父さんの絵を描きましょう」とか「お父さんお母さんに感謝の手紙を書きましょう」など、とにかく両親を敬うことが目的の活動が行われていることは大きな問題だと思います。これでは虐待を受けている子にも感謝を強要してしまうことになってしまいます。今の時代にそぐわない教育だと言わざるを得ません。

世の中には尊敬できる親と、尊敬できない親がいる――この紛れもない事実はもっと教育関係者の中で広まっても良いですし、子ども自身にも虐待は悪なのだということをもっと伝えるべきです。「虐待した親を子どもが訴えた」などという海外のニュースが飛び込んでくると、ニッポンでは「実の親を訴えるなんて…」というワケの分からないことを言う人が現れます。

世界の先進国では虐待や性虐待が起きた時にどうするかが今の時代は問われているのに、

その解決方法を考えずに「親を訴えるなんて…」と思考停止してしまうのでは、誰もハッピーにならないのではないでしょうか（もしかしたら「訴えられない」親はハッピーかもしれません…）。

「親」という話になると、「血のつながり」を大事にするあまり、どうしても性善説が強いニッポンですが、いったん冷静になって現実を見ることの大切さを事件が起きるたびに考えさせられます。

この「親を尊敬しましょう」とか「親に感謝しましょう」という教えは、いつの時代も世間で幅を利かせていますが、考えてみれば、車に乗る時でさえ「免許」が必要なのに、「人間を育てる」という大きな責任を負う人、すなわち親になるためにはなんの資格も要りません。だからといって、もちろん誰にも子どもを作る権利はあるので免許制にするのは現実的ではありません。

しかし、人格や能力に大きな問題があっても、妊娠さえすれば「親には誰でもなれる」わけです。身も蓋もないと言われそうですが、「別に親だからといって立派ではない」という共通認識はどこかにあったほうが良いのではないでしょうか。

ところで、先日インドで「僕は一度もこの世に生まれてきたいかなんて聞かれていないのに、親は僕を勝手に産んだ」として親を訴えた男性がニュースになっていましたが、なかなか面白い話です。もちろん、この世にまだ存在しない人に対して「この世に生まれてきたいか?」などと親側も事前に聞けるはずなどありません。

しかし人が子どもを持とうとする時に、「子どもにこの素晴らしい世の中を見せてあげたい」とか「わが子は素晴らしい人生を送れるから産む」という具合に、「子どもの目線」で産みたいと考えることは多くありません。「子どもを産みたい」という人は、ほぼ全員が「自分のこと」をメインに考えてそう思うのだとか。そう考えると、前述のインドの男性の訴えは「自分のことを優先に子どもを作って、私の考えは無視された」ということなのかもしれません。

念のため、「自分のことを考えて」という中には「性欲に負けて」も多数含まれます。もちろん性交すれば即子どもができるわけではありません。その一方で、子を持つことの責任を何も考えず「単にセックスしたから親になった」人も世の中にはゴマンといます。パチンコがやめられなかったり子を置き去りにしたりする事件が相次ぐのはその証左でしょう。

またまた夢のない話で恐縮ですが、私が通っていたドイツでのギムナジウム（日本で言うと高校生）時代、1学年上の生徒に人を笑わすのが得意な話し上手の男の子がいました。あ

る日の朝、彼がスクールバスの中で話していたことが衝撃的でした。曰く「ボクの両親は本当は子どもがほしくなかったんだって。それで母親は子どもが生まれないように毎日ピルを飲んでいたんだけど、ある時下痢になっちゃってピルが効かなくなって、それで僕が生まれたんだよ」って。一緒に乗っていた下級生の子も皆ギャーと大爆笑。ただ話していた本人は成績優秀でドイツでは珍しい私立校に通っていましたし、とてもユーモラスな人で全く悲壮感もありませんでした。

「こんなことを子どもに言うなんて…」とニッポンの感覚だと思ってしまいそうですが、むしろなんでもオープンに語れる親子関係だった印象です。学校に迎えに来ていたその子のお母さんは税理士でそれはマジメだけれど、明るくて良い人でした。

　今思うと、一概には言えませんが、子どもを持つことに慎重になる人のほうがマトモな子育てができる場合も多いと思います。とりあえず何も考えないで産んで虐待してしまう——これが最悪なパターンなのは言うまでもありません。子どもができる経緯は様々です。母親の下痢のために、この世に生を受けてもハッピーな人もいます。

若者批判は老人が何か言いたいだけ

最近は高齢者もインターネットを自由に操れるようになってきていますが、それでもたまに聞かれるのが「最近の若者はバーチャルな世界にばかり逃げて我慢ができない」とか、「最近の若者はインターネットばかりで対人面が弱い」といった発言です。

ただこれなど、まさに前述のエジプトのピラミッドの落書きのように、いつの時代にもあった「若者批判」の類に入ること間違いなしです。

ゲームやインターネットばかりで若者がキレやすくなっているという主張に関しては、そんな文明の利器が存在しなかった第二次世界大戦後のニッポンで、若い人が「アプレ気質」と言われ、「戦前にあった秩序がなくなったため若者が無鉄砲になった」と見なされていたことを考えると、根拠も現象そのものも疑わしいでしょう。

「最近はＬＩＮＥやＳＮＳで会話ができ、直接会わずに済むからイジメも陰険になってきている」「インターネットでは匿名で投稿できるから表現が陰湿になってきている」などと言う人もいて、メディアでも話題になることがあります。ただこれに関しても、確かに「既読スルー」が原因でイジメが発生したりするという事例はあるものの、果たして今の人が昔の人よりも対人スキルが低く、今のイジメのほうが陰湿なものになっているかというと、それは違うと思うのです。ネットがなかった80年代のイジメだって、中野区の「鹿川くん」のイジメ自殺事件を見れば陰湿そのものです。なんせ生きている人に対して、同級生も先生も彼を死んだと見なし「葬式ごっこ」をしていたのです。

昨年、高島忠夫さんの訃報が流れた際に、彼の半生が紹介されていました。その中で、半世紀以上前に起きた「高島忠夫長男殺害事件」（家政婦をしていた少女が当時赤ん坊だった高島夫婦の長男を風呂に沈めて殺害）のことも取り上げられました。事件が悲惨なのはもちろん、ゾッとしたのは、13年に高島さんの妻の寿美花代さんがテレビ番組に出演した際、事件後に赤ちゃんの泣き声を真似たり、「ママー、苦しいよ」と訴えたりするいたずら電話が何度もかかってきて、さらに苦しめられたと語っていたことです。これを見ると、陰険さは決してネットなどが原因ではなく、昔の人も当時の可能な手段（電話）を使って十分に「陰険」とされる行為をしていたことが分かります。

なので、この手の「最近の若者は…」と嘆く現象はしつこいようですが、中年もしくは高齢の人が「若者にとにかくもの申したい」という気持ちからくる——これに尽きます。決して「インターネット」やその他の要素のせいとは言えません。取り上げるなら「インターネット」などの「モノ」よりも、いつの時代にもある「人間の心の闇」にスポットを当てたほうが、「人間そのもの」について考えることができて建設的ではないでしょうか。

今の若い人のほうがちゃんとしてます

消えた年金問題はもちろん、老後は年金があっても、2千万円は貯金がないとマトモな生活ができないと言われている今の世の中。ニッポンの誇りであるはずだった終身雇用のモデルはずいぶん前に崩れ、それどころか現在は正社員のポジションにありつくのも難しい状況で、今の若い人はニッポンがある意味で瀬戸際に立っているという空気を鋭く感じ取っています。

だからこそ、ひと昔前の高度成長期やバブル時代のように「会社に全身全霊を捧げる生き方」とは距離を置き、旧世代よりもプライベートに重点を置く人が多いわけです。困ったことに、これが昼も夜も会社のために働いて「24時間闘ってきた」旧世代の目には「会社や仲間のことを考えていない。自分の事しか考えていない」と映るのです。

しかし、今のニッポンではバブルの頃のようにふいに大金が転がり込んでくるようなことはありませんので、経済的な面も含めて地に足がついている若い人は多いです。

まあコンビニや飲食店で繰り返される「バカッター」に関しては、時給が低く大変な仕事なのでやけくそになり、「失うものはない」とばかりにその場の仲間との「ノリ」も手伝ってやってしまうケースが目立ちます。経営陣にとっては大変深刻な問題ではありますが、下っ端バイトの待遇をもっと良くしたら（給料を上げるのが難しいなら、せめて規則を緩くし、あれもダメこれもダメとガチガチなルールを改善すれば）この手のバカは減るのではないでしょうか。

一番の対処法はやっぱり時給や給料を上げることです。なんせ「失うもの」が出てくると、人間バカなことは（たぶん）しなくなります。そんなこんなで、未熟さは残っても全体を見ればバブル世代よりも浮かれた部分も少なく、現代の若者は人生設計も現実的です。冷静に生きていますし、むしろちゃんとしているのではないでしょうか。

カイシャ人間が「キレる老人」に

こんなふうに「若い人は意外とちゃんとしてます」と言いたくなるのも、近年の老人は、一部だとはいえ、キレやすさが目立つからです。「暴走老人」なんて言葉もあり、昔ながらの「穏やかな老人」のイメージは崩れ去りました。

ニュースで話題になる老人の暴走ぶりはまさに悪い意味で「すごい」のひと言です。ベビーカーが邪魔だといってベビーカーに乗る1歳児の頭を殴る老人、20代のカフェ店員の女性にラブレターを渡したものの拒否した女性に逆上し「ぶっ殺してやる！」と脅す78歳。そして周りが止めているのに車の運転をやめず人殺しとなってしまう老人など、この手の事件は枚挙にいとまがありません。60年、70年、80年と生きていれば何かと「生き方上手」になりそうなものですが…。

今まで何のさとりも開けず、なんというかそこからは不満に満ちた日常生活が垣間見えるのです。私自身は近所で暴走老人に会ったことはありませんが、先日用事があり埼玉のはずれのほうで住宅街を歩いていたら、自転車に乗ったパンチパーマの老人に「ほら、どけ！」と怒鳴られ、あ、これが噂の暴走老人なんだと思いました。悲しいことにこの種の人々はたりまたは暴言を吐いたりと何かと問題の多い世代でもあるのでした。

「男子厨房に入るべからず」の世界で育っています。「仕事」以外にあまり生きがいを見いだせなかった世代です。男性が現役だった頃は、奥さんはいわゆる専業主婦で、男性側は家事などは一切ノータッチという夫婦がニッポンの社会では普通でした。

しかしここが落とし穴なのですが、そういう男性が家庭内でそこそこ大事にされるのは家族のために働いて給料をもらってくるからであって、定年退職してしまえば、趣味がないのでずっと家でゴロゴロ、家事はしない、文句は言う、という有様で、たちまち奥さんや家族に愛想を尽かされてしまいます。

そういった不満も一部の原因となって老人を暴走させているのですが、まあ「子育ては母親の仕事」と信じてやまないのもこの世代なので、電車の中でも赤ちゃん連れの母親を気遣うどころか不快感を示したり、出先で男性にお茶を出されたら不機嫌になったりしています。

一時期は団塊世代こそ「戦後生まれで変化が大好きな革新的な世代」と言われていましたが、50年経つと…やっぱり時代についていけなくなります。

年をとっていく中で自分自身も気をつけなきゃと思う一方で、世間で言われている「昔の人のほうが我慢強い」や「最近の若い人はちゃんとしていない」はウソだよなあ、と改めて思うのでした。

「周りも大変だから」に騙されるな！

人生、高望みをしないことで得られる幸せもありますが、それにしても気をつけたいのは、自分自身が「いき過ぎた奴隷根性」を持つこと。

たとえば派遣会社に中抜きされて給料が低いのに「自分はそれで満足」と納得していたり、名ばかり正社員でサービス残業や土曜・祝日出勤も当たり前の「会社漬け」生活なのに、「これでいいのだ」と思っていたりする日本人は、他の先進国の人から見たら信じられないぐらい自尊心が低過ぎます。

もちろん世の中はすんなりいくことばかりではないので、条件の悪い仕事でも我慢しなければいけない時もあります。でも、その状態が長期間続いているのに、自分がそこから逃げ出す気力を失い思考停止に陥ってしまうと、せっかくの人生をムダにしてしまいます。

ニッポンでは、個人が「大変だ」と愚痴をこぼすと「周りはもっと大変なんだから」といった旨の反論をする人が昔からいます。それは励ましの意味で言われることもあるので、決して悪意を伴うケースばかりではありません。ただ、自分が大変な時に「周りも大変だから」と思うようになれば、全員が延々大変なままであり、状況が進展しないのは大きな問題です。

さらに深刻なのは、いったん「周りも大変なんだから」と考える癖を身につけてしまうと、自分の周りにいる「大変でない人」が腹立しく思えて仕方なくなることです。やがて、その「自分と似たような立場にいるのに大変な思いをしていない人」を妬んだり、「あの人ももっと苦労すべきだ」などの黒い感情を抱いたりします。

ところで、ヨーロッパでは昔こそ貴族が庶民に対して偉そうにしていましたが、今は福祉国家が多いので、「社会や組織の下っ端の人が上の人に無償で奉仕する」という考え方をする人はいません。福祉はそもそも、言葉は悪いですが、「下っ端の人」に対して国家がケアを施す制度です。なので、日本型の「自分はパートだけど組織のために頑張る」というのは今のヨーロッパでは見られない現象です。

「苦労は買ってでもしろ」に騙されてはいけません！　ニッポンにはブラックな考えが蔓延していることを自覚してください。無自覚に生きていたり素直な性格だったりすると、この空気に流されて、自ら墓穴を掘る「奴隷根性」が身についてしまうので要注意。日記をつけるなりして、自分が今置かれている状況を冷静に分析しましょう。イザとなったら、自分のハッピーのために早くそこから逃げ出すべし！

あなたの「体育会系度」をチェックしよう

〈ゆとり＆さとり編〉

- [ ] 昔と比べて最近の若い人には根性が足りないと思う
- [ ] なんでもかんでも合理主義の欧米と同じにすればいいってもんじゃないと思う
- [ ] つい若者相手に過去の話をしてしまう
- [ ] 日本が少子化なのは、若い人がだらしないからだと思う
- [ ] テレビで凄惨な事件の加害者を見るたびに「甘やかされて育ったから、犯罪に走ったんだ」と確信する

⇒３つ以上当てはまったら、あなたのマインドは限りなく「老害」に近づいています。若者に対して寛容になれるように、まずは自分を癒してあげましょう。

第6章　ニッポンの明るい話

ニッポン流は最強

今まで散々、ニッポン流「体育会系」の弊害や悪いところを書いてきたのに、最後の最後でそれはないだろってツッコミが入りそうですが、私は「一人でやる体育会系」が実は好きです。

ドイツで育った私は、小中高時代、ニッポンの学校にありがちな部活のシゴキや受験勉強といったものとは無縁でした。もちろんドイツの学校にもそれなりのシビアさがあり、成績が悪ければ小学生でも落第しますし、その後に続くギムナジウム（日本の中学・高校に該当）でも落第する生徒は珍しくありません。

ただしドイツのシステムでは実際のところ、その学校に適性のある生徒が授業を真面目に聞き、日々の宿題をやっていれば問題なく進学できるのです。日本のような「受験」はないので、学校以外の学習塾という場で勉強を頑張る必要はありません。

また、夏休み、冬休みなどの長期休暇には、宿題はありません。ドイツでは夏休みが約6週間、冬休みが2週間、春休みと5月頃の五旬祭に各2週間の休みがありますが、これらは全て「完全なる休み」で宿題というものとは無縁です。ドイツ人曰く「夏休みは〝休み〟という名前がついているのに宿題があるなんて、日本の生徒は騙されている。そんなのは休みではない」というわけです。余談ですが、子どもの夏休みに関してもそうした考え方のドイツ人が多いので、当然社会人になってから「有休の間に仕事をする」とか「週末に仕事をする」というのは会社の経営陣でもない限りは「あり得ないこと」です。

ともかく、ドイツの学校で大型の休みの際は宿題どころか「勉強」そのものが完全休業します。登校日なんていうものもありません。自宅で復習もしませんし、先生に教わる前に教科書などを使って先に進んだりするのは「許されない行為」だとされているので、当然予習をする子もいません。6週間の夏休みの間は、親と南の島にバカンスに出かけたり、スポーツをしたり、友達と遊んだりという「完全なお休みモード」がドイツ流です。

そんな環境の中で育った私ですが、母が日本人なので、他のドイツ人の子どもよりは勉強重視の生活を送ってきたと思います。小学校低学年の時には、お風呂に入りながら「九九」を暗記しました。また土曜日はミュンヘンの日本人学校に通っていたので、ドイツ人の子どもたちが週末はスキーだスノボだパーティーだと遊んでいる中、こちらは少なくとも土曜日の日中は日本人の友達と一緒に学校で国語（日本語）の勉強をしていました。そして、この学校は「週に一度の土曜日だけ」ということもあり、次の土曜日までの「一週間分の宿題」が出ました。夏休みともなれば、まさにニッポン流に「6週間分の宿題」が出たのです。

私は、片や「休みの間は一切勉強にタッチしません」というドイツ人の同級生、片や休日も勉強を頑張る日本人の同級生に挟まれて育ったわけです。そもそも日本人の同級生は「日本に帰ってから勉強に遅れが出ないように」という親などからのプレッシャーがすごかったため、彼らはむしろドイツにいながら年柄年中勉強をしていた印象があります。

　そんな環境で育った私ですが、ある時「ドイツ人に囲まれながらニッポン流を取り入れると、不可能なことも可能になる」ということが分かってしまいました。まあ、大した話ではないのですが、聞いてください。

　10代の頃、毎年夏休みには日本の祖父母の家に遊びに行っていました。6週間、日本で友達と会ったり、遊んだりして、ニッポンの夏を満喫していたわけです。ところがある年の夏、日本人の友達はみんな受験勉強のため会えないということがありました。これは予め分かっていたことだったので、その年、私は荷造りの際にドイツの学校のラテン語の教科書をトランクに入れました。「もし時間ができたらちょっとのぞこうかな」程度の気持ちでした。

そして、日本で過ごした6週間のうち、もちろんほとんどの時間は親戚の家に遊びに行ったり、当時の高校生らしく原宿でショッピングをしたりして遊んでいたわけですが、せっかくドイツから持ってきたのだしと、たまにラテン語の教科書を開いては単語の復習をしたり、ドイツの教育システムではタブー視されている「予習」をしたりして、次の学年で使う単語を覚えたりしていました。たまに時間ができた時にやる程度でしたが…。

そして夏休みが終わってドイツに帰り、新学期が始まり、数週間後にラテン語のテストが行われました。するとあら不思議、クラスで一番になってしまいました。やはり夏休み中の「たまに勉強」が効いたのでしょう。なにしろ、ドイツ人の同級生で夏休み中に教科書を開いた人なんて皆無なのですから、「教科書をちょっぴり開いてみた」私が有利なのは当たり前なわけです。

10代の夏、そんなことに気づいてしまってからは、大袈裟に聞こえるかもしれませんが、

「ニッポン流の体育会系を取り入れれば世界で勝負できる！」なんて思ってしまいました。これは、確かにそうなのです。周りが遊びほうけているなか、一人だけ抜け駆けのように努力をすれば、その努力は割と分かりやすい形で日の目を見ます。私のラテン語のテストのように。

ただし、これは「周りがダラけている中、自分だけが頑張る」というのが前提なので、周りのみんなも夏休み中にラテン語の教科書なんぞを引っ張り出して頑張ってしまえば、自分の努力は報われなくなるわけです。で、今のニッポンの状況って、まさに「それ」なのではないでしょうか。周りが既に頑張り過ぎているから、自分がちょっと頑張ったところで全く努力は報われない。そしてもっと頑張らなくてはとさらに頑張るものの、相変わらず努力は報われず…。

「一人体育会系」の愉楽

ヨーロッパのような「ゆる〜い」雰囲気のなか、自分だけニッポン流を実践すると、けっこう良い線行くというのが私の持論です。10代の頃のラテン語のテストで実証済みですしね。日本とは違う形で、実はドイツを含むヨーロッパの社会にはある種の「堅さ」があります。なんというか暗黙の決まりごとが多いのです。先ほども出てきた「予習してはいけない」というのもそうですし、「夏休みに勉強をしてはいけない」「週末に仕事をしてはいけない」「家族がいる時は何がなんでも仕事よりも家族を優先すべき」というような価値観が「絶対的なもの」としてヨーロッパでは幅を利かせているわけです。

もちろんそれを守り、追求することでヨーロッパは平等で居心地の良い社会を保てている部分はあるのですが、いわゆる「やる気のある人」や「上昇志向のある人」にとってはどこか物足りないのもまた事実なのです。余談ですが、現にドイツからは、フェイスブックのマーク・ザッカーバーグや、ニッポンのホリエモンのような人は生まれていません。でも、ヨーロッパにいると「ちょっとの努力」で周りの人との差をつけることができるので、そういう意味では「頑張りがい」があるかもしれません。

10代のころに、この「一人体育会系の楽しみ」を見つけてしまった私は、大人になってからも、自分で気づかないうちに「そういう環境」を選んでいるように思います。体育会系の人が自分の周りにいっぱいいると途端にやる気をなくし、全く頑張る気がしなくなる私ですが、仕事でもなんでも「ゆる〜い」タイプの欧米人に囲まれていると、とたんに私の中のニッポン人的な気質が顔を出し、「これぐらいなら、ちょっと頑張ればできる」とやる気がめきめきと出てくるのです。それこそ時間も惜しんで頑張ってしまいます。

まあ私の場合、単にひねくれているだけなのかもしれません。でもそれと同時に、「人間ってそういうものなのかもしれない」とも思うのです。つまりは周りから、「頑張れ、頑張れ」「努力しない奴はクズだ」などと言われていると頑張る気になれないけれど、周りがあまりにもゆるい生活をしていると、自分で勝手に「これぐらいならやれるはず！」と自分にハッパをかけたくなるというわけです。

そんなこんなで、私は「集団の体育会系」は苦手です。人に何かを強いるのも嫌ですし、自分より目上の人に「プライベートも惜しんで仕事に全エネルギーを捧げるべき」といった昭和の部活みたいなことを言われた日には身体の底から怒りがこみ上げてきます。けれど、自分で自分に課す課題というか、自分の中にある「やってやろうじゃないか」という気持ちは大事にしてあげたいなとも思うのです。

十分に休息や睡眠がとれていて、心もそこそこ元気なら、何かの拍子に「やってやる！」という気持ちになるものではないでしょうか。ニッポンの体育会系がおかしなことになっているのは、本人がそういう気持ちになることを待たずに、周りが「それぐらいで諦めるな」だの「もっとできるはずだ」だの「甘えるな」などとゴチャゴチャ言ってくるからです。そして、頑張らないと、その人の人格を否定してしまうような風土が出来上がってしまっています。少し休んで色んな刺激を受けたら、やる気なんていうものは自然と湧きあがってくる。私はそう信じています。

ドイツでは「ハチマキを巻いて頑張る」なんていうカルチャーはないので、ニッポンの昭和の漫画で、主人公が頭にハチマキを巻いて「目指せ東大」などと書いた紙を部屋の壁にペタペタ貼りながら勉強している様子が描かれているのを見て、「すごい！　そういう世界があるんだ」と妙な憧れの気持ちを抱いたものです。

それは今でも変わっておらず、私もハチマキを…巻いてはいませんが、心の中にはいつもニッポンのハチマキがあるというわけです。ハチマキをしている気持ちで、アニマル浜口ではないけれど、「気合だー！」と叫び、自分に「できる、できる、できる！」と言い聞かせれば、デキないことはない…なんて妄想が大きくなる午前2時でした。

上下関係も便利なことが

近年のニッポンでも、たとえば「外資系企業では人間関係がフラットで上下関係がなくて働きやすい」だとか、色んな面で「フラットな人間関係」にスポットが当たる事が多くなりました。これまでは人間関係＝上下関係といっても過言ではないほど、厳しかったということです。

かつてのニッポンの「家」といえば、舅や姑が絶対的で、その家に嫁いできたお嫁さんの地位はまさに「一番下っ端」でした。いわば新米として、農家などでは体力を消耗する大変な仕事は全部ヨメがやらされていました。

ニッポンの「家」に限らず、ニッポンの会社というものも、主任やら、係長やら課長やら部長やらがやたらと多く、非常に分かりやすい上下関係がある場所です。会社で目上の人に話しかける際には、肩書で話しかけるのが鉄則です。たとえ役職がない平社員同士であっても、「先に入社した人が偉い」という暗黙の了解がニッポンにはあります。

ニッポンの学校でも、年齢や学年が「わずか1年」しか違わなくても、年上であれば「先輩」ですし、部活でもどこでも先輩の言うことは絶対なわけです。後輩は、目上の先輩を「服部先輩」と呼ぶことはあっても、「服部さん」とは呼びませんし、よほどフランクな学校でない限り下の名前の「香さん」とか「香ちゃん」などと呼ぶことはありません。もちろん「香」などと先輩を呼び捨てにすることなどもってのほかです。

私がよく使う地下鉄のある駅では、改札付近で制服を着た中学生が、先輩らしき人が通りかかると、無言で会釈するのをよく見かけます。きっと上下関係が厳しい学校なのでしょう。学校の外であっても、先輩は先輩であり後輩は後輩なのだなと、駅で会釈の光景を目にするたびに「ああ、ニッポンだな」と思うわけです。

でもそれが、全く悪いことかというと、そうとは言い切れません。日本とドイツを見つめる中で、予め年齢によって上下関係が決まっていることの「良さ」というのもあるのだな、と思うようになりました。

というのも、人間が集まる以上は、自分が相手より上か下かと競い始めるのが世の常です。

それを「年齢」という分かりやすいもので区切るのは、平和な生活のためには便利なやり方です。実際、「先輩の立場が上」という概念がないドイツのような社会では争い事が絶えないのです。

ドイツ語には「先輩」という言葉さえありませんが、そういう環境では「どちらの立場が上」なのかが非常に分かりにくいわけです。そして、「どちらが上」かの答えを出すのは「手さぐり」になります。その際は、声が大きい人、気が強い人、人を強引に丸め込むのが上手い人が、いつの間にか自他ともに求める「上」となってしまう場合があります。

そういうやり方が「フラットで公平」かというと、そうではない場面を私はいくつも見てきました。ニッポンでは、後輩が実際にはどんなに気が強くても先輩は尊重されます。後輩もそこのところはちゃんと心得ているからこそ保たれる秩序があるのだと思います。

ドイツの組織で人が集まると、年齢などで「上下関係を決める」ことが日本のように通用しないため、お互いの足元を見ながら、「私はあの人より上！」とアピールしたがる人がいれば、それを受けて「あの人はいったい何を言っているの!? 私のほうが上に決まっているじゃない！」などと歯向かう人が現れたりと諍《いさか》いが毎日のように起きており、それは欧米社会の一つの特徴でもあります。日々こういう場面を目にすると、周りも巻き込まれるため、当事者も部外者も話術は鍛えられますが、まあ「ニッポン流」に慣れている人からすると、欧米流は非常に疲れるのです。

そう考えると、ニッポンの「予め年齢や入社順」で決まる立ち位置も悪くないなと思うのです。一般の欧米人は日本の上下関係を見て、「自分の能力とは関係ないところで無理やり立場を決められるなんて嫌だ！」と思う人が多いです。

しかし、日本では、後輩が先輩より立場が下であったからといって、それが良い上下関係であれば、後輩の人格が必ずしも否定されるわけではありません。各自が「自分はそういう立場だから…」と驕ったり卑屈になったりすることなく相手に接していることも多いのです。後輩だって、来年になれば自分も先輩です。そして先輩という立場になった時にどうふるまうかは自分次第です。本書のテーマである「悪い意味での体育会系」が染みついた人なら、その立場を悪用して後輩をイビったりいじめたりするのでしょうが、良識的な日本人の間ではそれは異常なことです。

良い上下関係とは、先輩を敬いつつ後輩をかわいがり、互いの立場を自覚した上で動くことです。それによって組織や人間関係がスムーズにいくことも多いのです。

ヨーロッパにはメンタル弱者が多い⁉

今まで書いてきた通り、精神論を重んじる体育会系的な考え方には弊害が多いですが、暴力や暴言を伴う「変な方向にいってしまった体育会系」でなければ、「良い集団生活」に一役買っていると思います。

分かりやすい場面が災害時です。日本では地震などの災害が来るたびに、その悲惨な状況とともに、困難の中でも列の割り込みなどをせず、自分を律して耐え抜く姿が世界のメディアで報道されています。災害の直後だけでなく復興の際にも、被災地の住民が団結して行動します。これも「自分を律してコミュニティーを大事にする」姿勢があるからこそ可能です。

こんなことを言うと怒られそうですが、欧米人は（これは私も含めてだと思います）災害時の精神力が足りません。やはり「自分にこんな理不尽なことが起こってしまった」というショックが大きく、そこからなかなか立ち直れません。誤解を恐れずにいうと、普段から集団というかコミュニティーを優先するよう教えられてきている日本人は、こういう時のメンタルが強いです。

もちろん子どもの頃に学校などで防災訓練をして、地震の際に教室内でドアを開ける係などの役割分担を決めてきたことが役立ってきた部分もありますし、そもそも日本人は地震・台風・土砂崩れなどを「いつかやってくるもの」としてとらえており、ある程度の心構えができているという面もあります。でもやっぱり、実際にこのような災害が起こった時に、日本人がメンタルを崩すことなく現実に向き合えるのは、「個よりも集団」を優先して考えてきたという強みがあるからだとも思うのです。

コミュニティー内の人から多少腹の立つことを言われても、「集団ではそういうこともある、しょうがない」と良い意味で諦めて、協力できるところは互いに協力する。そんな姿勢が災害時は「生きる」わけです。欧米流の「私が私が」という姿勢（筆者自身もそうなのは自覚しております）は否定はしませんが、この手の人は、イザなにか自分の手に負えないことが起きた時に真っ先に落ち込んでしまう傾向があります。また「私が私が」という人は、筆者も含めてチームワークが不得意なことが多く、それこそ災害時にはこういったことは致命的なわけです。

なので、「辛いのは自分だけじゃない。みんなも辛いのだから、弱音を吐くのはやめて、今できることをみんなのためにもやろう」というような考え方が自然とできる人はチームワークも得意です。「体育会系」に良いところがあるとしたら、災害時に役立つということでしょう。

ただこれも「我慢」や「自分を律すること」を追求し過ぎてしまうと、今問題になっているようなニッポンの避難所がいつまで経っても「プライバシーのない体育館[*28]」の状態から抜けられない一因にもなるので、これからの日本では、快適な方向に変えられるところは改善していきながらの「我慢」が望ましいのではないでしょうか。

「アナウンサー→弁護士」華麗なる転身

今さら先の大戦の時のような「ほしがりません、勝つまでは」を称揚するつもりはありませんが、目先の「欲」を捨てて、やるべきことに集中して自分を奮い立たせると、周りからの雑音や煩悩に振り回されないという利点はあるでしょう。というのも、本当の意味での根性論や精神論は、「何々がほしい」という欲からは遠く離れたところにいて、どちらかというと「何かを成し遂げるまでの過程」、それは我慢だったり、学びだったりを大事にしているからです。

今、日本の社会で問題になっている体育会系がらみの事件は、上に立つ者が自分の欲のために、下っ端の人を自分の都合の良いように動かしたいがために、下の者に対して精神論を振りかざしたり根性論を強いたりと、本来の体育会系を悪用したものです。そんな悪い例はいったん措いておくとして、一つの信念として「目先の事だけでなく、自分が怠けていないか」とか「自分がちゃんとやれているか」に向き合う形での体育会系は悪くないと思います。

それに自分に対して厳しい体育会系的な思想の人が、時にすごいことをやってのけ成功している点も見逃せません。たとえばかつてフジテレビのアナウンサーだった菊間千乃さんは、後に司法試験に合格し今は弁護士です。定年までフジテレビの会社員でい続ける事もできたはずなのに、退社して無職の状態で「1日15時間勉強」という生活が2年続いたといいます。その間「私は絶対に弁護士になる」と自分を奮い立たせ、2回目の挑戦で司法試験に合格しています。

＊28　https://gendai.ismedia.jp/articles/-/56477

筆者が昔読んだ雑誌で、菊間さんが対談相手に語っていた言葉が印象に残っています。「私は体育会系で、やればできるはずだと思っています」弁護士になる前の言葉ですが、やはり実際に体育会系的な感覚の持ち主で、こうした信念があったからこそ、有名企業の社員としての立場を擲《なげう》って、弁護士になるための試験勉強を続けることができたのでしょう。これなど、「目先の楽をすること」だけを考えていたら絶対にできない決断ですし、やはり目の前の小さな欲をいったん全て断つことのできる人は強いと思います。

また、菊間さんの著書『私が弁護士になるまで』（文春文庫）によると、2年半の試験勉強中は、元同僚や友達とは一切連絡を取らずに本当に勉強だけに集中していたそうです。司法試験に向けて地道に勉強をする人はもちろん他にもいますが、アナウンサーとして人前に出たり、注目を浴びたりするいわば「華やかな世界」にいた人が、自らの強い意志で、そういった場所から距離を置き、地味な努力を長期間続けるというのは、誰もができることではないと思います。

菊間千乃さんのお父さんは八王子実践高等学校女子バレーボール部の菊間崇祠《たかし》元監督で、指導者としてはスパルタで知られているとともに性格的に気難しい面もあったようです。そのためか、菊間千乃さんはある意味最強で、私もかつて彼女と一時期仕事で関わったことがありますが、どんな相手でも本当に上手な対応ができるのです。菊間さんを思い出すと、体育会系が悪いとは一概に言えないよなと感じるものです。

有休の義務化

ニッポンは欧米と比べると体育会系社会だ――本書では一貫してそう主張してきました。ただ、近年は「明るい兆し」が見られることも確かです。

前でも触れた「有休」については、日本人の消化率の低さは異常です。先日、私の知り合いの日本人女性がツアーで母親と一緒に10日間のヨーロッパ旅行をしたのですが、一緒に行ったツアー仲間から「学生さん？」と聞かれたのだそう。知り合いは40代で、初めはなぜこのように尋ねられるのか不思議に思っていたそうですが、質問してきた日本人客は「10日間も旅行できる人は会社員ではないはずだから大学生に違いない」と思ったのだということでした。全くもって日本人らしい話だと思いました。

ドイツを含むヨーロッパでは10日間どころか3週間ぐらい続けて休む人も普通にいますが、日本では1週間の有休でさえ「長い」と言われます。だから、10日間海外旅行をしている人＝学生さんと見なされてしまうわけです。

ちなみに私自身は日本の会社に8年ほど勤めた経験がありますが、ある時に10日間会社を休んでドイツの実家に帰ったところ、戻ってきてから友達に「10日も休むなんてサンドラは出世を諦めたんだね」と言われたことを思い出します。それほどニッポンでは有休が特別視されているのでした。

ただ先日は、有休を取れずに悔しい思いをした経験に「戒名」をつけ、供養するという「有給浄化」イベントが都内で開催されるなど、休みを取れない辛さにもスポットが当たるようになってきています。

法律面でも明るい兆しが見えます。それは19年4月から日本で有休の取得が義務化されたことです。その日数は「5日」ということです。筆者の母国ドイツでは20日以上ある有休を皆が使い切るのに、なぜ日本では与えられた有休全てを消化することを義務化しないのか疑問が残るところですが、それでも一歩前進したのは間違いありません。この「5日間ルール」は全ての企業に適用され、違反した企業には罰金が科せられる可能性があります。

私の出身国であるドイツでは法律で義務付けられている有休は年に24日間ですが、多くの企業ではそれ以上の日数を従業員に与えており、年30日間の有休がある人も多くいます。この30日を1年の間に2、3回に分けて使うのですが、前述のようにドイツでは病欠は有休から引かれないため、日本のように「万一、病気になった時のために取っておこう」と考える人はいません。ドイツ人は有休は全部使い切ります。それは、従業員側の権利意識が強いということに加え、有休を取らせない企業には罰則があるからです。ドイツでは労働安全局（日本の労働基準監督署に相当）がこのチェックに当たり、従業員に十分な休息を与えていない企業は処罰の対象となります。

有休の消化や違法な残業について、ドイツの労働安全局が「企業が従業員に違法な働き方をさせていないか」を随時チェックしています。1日の労働時間は最長で10時間と定められているため、企業がもし毎日10時間以上の労働を社員に強いていたり、週末に働かせていることが発覚した場合には、罰金のペナルティがあります。

面白いのは、上司が部下に違法な残業を強いる場合、この罰金は会社ではなく、上司のポケットマネーから支払われる場合があるということです。経営者には最高で1万5000ユーロ（約210万円）の罰金が科されます。2009年にはテューリンゲン州の労働安全局が、ある病院の院長が医師たちに超過労働をさせていたという理由で6838ユーロ（約85万円）の罰金を科しました。有休に関しても、基本的には全て使いきることが原則です。そのため部下が有休を取るよう上司が目を光らせていることも多いのです。

ドイツでは1日に認められている最長の労働時間は10時間と書きましたが、何日か連続で10時間を超える残業があっても即違反になるわけではありません。多く働いた分を他の日に「調整」すれば問題ありません。つまり、残業した分を「お金」でもらうのではなく「時間」で調整するというわけです。

お金をもらったほうが良いと考える人もいるかもしれませんが、この「時間調整」の良いところは、過労を防げることです。具体的に言うと、たとえば、定時が17時の会社で20時まで3時間の残業をしたら、次の週に定時より3時間早く上がる、つまり14時にオフィスを後にするというわけです。

ここでの「10時間」は、あくまでも1日の最長の労働時間であり、ほとんどの企業ではそれより少ない8時間でその日の業務を終了します。また、その日の仕事が終わってから次の就労までに、少なくとも11時間は空けなければいけない「インターバル規制」もあるため、従業員が過度に疲労することは日本と比べて少ないと言えるでしょう。日本も義務化への第一歩を歩み出したので、今後に期待したいです。

市長の「育休宣言」

愛知県西尾市の中村健市長（40歳）が、19年11月から夜6時以降は仕事をしないという形での「育休」を取ったことが話題になりました。[*29] 市長はじめ政治家は、夜も仕事がらみの付き合いで酒の席などに呼ばれることが多いですが、中村市長はこれを2か月間キッパリやめ、夜は2歳半の長男と生まれたばかりの次男の育児に専念すると宣言しました。

　このことが発表されると、巷では「一般の人ではなく市長。育児を優先して市長が務まるのか」という意見や、「夜、子どもの面倒を見るなんて、女性は誰でもやっていること。夜に仕事を入れずに子どもの育児をすることを、男性に『育児休暇』なんて思ってもらっては困る」なんてシビアな意見もありました。

　しかし、20年前や30年前だったら、市長である男性が「夜6時以降は育児に専念します」なんて発言すること自体があり得なかったわけです。そう考えると、時間を限定せずに「丸々何か月」という形ではないものの、夜だけでも育児をすると市長が宣言して実行に移

＊29　https://www.asahi.com/articles/ASMBC4S6JMBCOBJB00B.html

したことは、やっぱりポジティブなことです。小さな子どもが2人いると、大人1人では「いっぱいいっぱい」になってしまうことが多いです。ましてや新生児と2歳児なんて一番手がかかる時期なので、夜だけであれ、子どもの入浴や食事の時間に父親が家にいて育児に参加してくれたほうが助かるのは言うまでもありません。

　中村市長が現職の身でありながら「育児休暇」を口にし、実践したということは、まさに「次世代の男性」の登場なのかもしれません。今の世界の先進国では「男性も育児をすべき」というのが共通認識ですし、市長の立場で「夜6時以降は仕事を入れない」と宣言したのは潔かったと言えるでしょう。

　それこそ、ついこの間までのニッポンでは、家にいるお母さんがどんなに「小さい子ども2人の育児が大変」と相談をしても、「子育ては女の仕事」だとか「昔の女性は2人どころか5人ぐらい産んで育てていた」などと反論されてしまうことが少なくありませんでした。「女はやる気さえあれば1人で育児や家事ができる。それができないのは女としての自覚がないからだ」という男性優位のまさに体育会系の思想が支配していました。

　それと同時に男性も、甘えは一切許されない社会でした。昔の栄養ドリンクのＣＭよろしく「男は24時間闘って当たり前」というのがいわば世のお父さんの常識でした。「仕事のため」となれば転勤はもちろん、飲み会も週末のゴルフも断れない時代でした。景気が良かった頃は「客のためならパンツも脱ぐ」という人もいたほどで、仕事がらみの風俗通いもあったといいます。男同士の結束が仕事の良い結果につながるんだと信じてやまない人が多かった時代でした。

そんなこんなで、当時は仕事といえば「なんでもアリ」で、パワハラの概念もありませんでしたし、ワークライフバランスだとか男性の育児参加などという発想からもかけ離れた状況でした。つい30年ぐらい前までの話です。当時は世間が「性別にそぐう役割」を勝手に人に割り当て、当事者がその役割に疑問を呈しても、〝頑張りが足りない〟とか〝甘え〟だと見なされ、まさに体育会系の時代だったと言えるでしょう。

まあ、バブル期に関しては、今よりも景気が良かったという救いがあったかもしれませんが、昔と今とどちらが21世紀の先進国の姿なのかを自問すると、答えは明らかです。

そういう意味で、愛知県西尾市の中村市長の決断は重要な「第一歩」です。前例のないことをするとニッポンでは叩かれがちですし、実際に中村市長にも「それはどうかと思う」と茶々が入っています。けれど、何もやらないよりはやったほうが良い。

年が明けた２０２０年１月、小泉進次郎環境相が育児休暇を取ることが話題になりました。

期間は2週間。短いですが、現役の大臣で将来の総理として期待される人物がこのような決断をしたことは、日本社会に良い影響をもたらすことでしょう。小泉環境相のような人が育休を取ると、一般の男性も取得を言い出しやすくなるはずです。

つい20～30年前までならあり得なかったこと、つまり公の立場にいる男性が育児のために仕事をセーブすることが可能になりつつあるのも今のニッポンなのです。貴重な一歩を踏み出したと言えるでしょう。

未婚の一人親に朗報

昨年12月、自民・公明両党は2020年の税制改正で「未婚の一人親」について、年間の所得が500万円以下の場合、税負担を減らすことで合意しました。今まで軽減の対象は、同じ一人親であっても、あくまでも配偶者と離婚または死別した人を対象とするものでした。今回の改正で「最初から未婚の一人親」に関しても税金負担が少なくなります。

そもそも従来の「寡婦控除」の制度は、第二次世界大戦中に夫を亡くした妻を支援するために1951年にできたものだったため、「最初から未婚」のシングルマザーは含まれておらず、制度自体が時代遅れでした。

15年の総務省の国勢調査によると、日本には全国の一人親世帯１２４万世帯のうち、未婚の世帯は21万世帯（17％）あります。決して無視できない数であるにもかかわらず、未婚の親は課税額により負担額が決まる保育料の面でも不利益を被っていました。これからは年間５００万円以下の所得なら所得税で35万円、住民税で30万円の所得控除を受けられるようになります。

伝統的な家族の形を支持する自民党は当初、この制度の導入について「未婚を助長しかねない」としていましたが、結果的に改正されたのは、子どもの貧困を考える上でも、前進だと言えるでしょう。

今年のお正月には歌手の浜崎あゆみさんが未婚の母になっていたことを公表しました。日本でもようやく他の先進国のように、「多様な生き方」ができる日が近づいているのかもしれません。

札幌への変更は「前進」

東京オリンピックを間近に控えた昨年10月、国際オリンピック委員会（ＩＯＣ）はマラソンおよび競歩の会場を東京から札幌に移すことを決定しました。きっかけは９月下旬にドーハで開催された女子マラソンで、高温および高湿度の影響によりマラソンを途中で辞退する選手が多数出たことです。ＩＯＣのバッハ会長はこの事態を重く受け止めました。

要はマラソンや競歩を行うには東京の気温も湿度も高過ぎるということですが、こちら側（日本側）からしてみると、ニッポンの夏が暑いなんていうことは何年も前から分かっていたことで、「なぜ開催の9か月前になって変更?」と疑問に思うことだらけです。地球温暖化以前に、東京の夏がムシムシして暑いのは滞在経験のある人なら誰もが認めるところです。

なんといっても、「真夏の東京での闘い」を想定して今まで長い間トレーニングを積んできた選手が気の毒です。東京都知事の小池百合子さんも、何の相談もないまま下されたこの決定に不満を隠しきれませんでした。11月に入って東京都は札幌への変更を受け入れましたが、その際に小池都知事は「合意なき決定」という言葉を使い悔しさをにじませていました。

そもそもオリンピックは開催の季節がアメリカの選挙とかぶらないように調整してあったり、時刻に関しても米国の視聴者が見やすいタイミングに設定されていたりするもので、今回のＩＯＣの発表を見ても改めて「アメリカ様や白人様に決定権があるのだな」と感じた次第です。そういう意味でも非常に後味の悪い決定だったのは確かです。しかし。ここまで書いたことと矛盾するようですが、私は「今後のニッポン」のことを考えると、この決定は良かったと思うのです。

日本は、そうでなくても他の先進国と比べて精神論や根性論がモノを言わせている社会です。もしもマラソンと競歩の開催地がそのまま東京だった場合、選手たちは猛暑の中を走らざるを得ません。常識的に考えれば、日本人・外国人を問わず転倒する人や命を落とす人が出てきてもおかしくありません。東京でマラソンや競歩を開催するということは、「予め暑いと分かっていたけれど、やっぱり選手には頑張ってもらおう」というなんとも気持ちの悪い考え方を実行することです。

「条件がどんなに悪くても自分の努力と気の持ちようでなんとかなる」という真夏の根性論を避けるためにも、東京がキャンセルとなったことは喜ばしいことなのかもしれません。というのも、仮に運良く死者などが出なかった場合、完走した選手に対しては必ずや「暑さにも負けず頑張った○○選手は偉い！」というふうな美談が生まれます。一方、途中棄権した選手は、「自己管理がなっていない」などと片づけられてしまいそうです。

そうなった場合、選手自身も気の毒ですが、もっと大きな問題は、「真夏の東京でアスリートが完走した」という既成事実ができてしまうと、ニッポン各地の学校のブラック部活の先生が、「オリンピックの選手だって、30ウン度の高気温高湿度のところを頑張って走ったのだから、もっと若い君達にもできるはずだ！　ファイト！」などとわけの分からないことを言い出す可能性が高いです。

その結果、21世紀にもなって、「暑いけど頑張る」が再び市民権を得てしまうかもしれません。今やせっかく公立の小学校にもエアコンを完備する動きになってきたのに、オリンピックでそんな新しい流れを否定するような事態になったとしたら問題ではないでしょうか。

そう考えると、開催の9か月前という「タイミング」こそ悪かったものの、人の健康や命を優先して決定事項を覆すということは勇気ある判断だったと思いますし、むしろ良い前例になるのではないかと思います。というのも、ニッポンでは何かと「前の人も大変な状況のなか、頑張っていたから」「既に正式に決まっているものだから」という理由で、本来は改善されるべき状況がそうならないことがよくあります（違法残業しかり、ブラック部活、学校の先生のオーバーワークしかり）。

でも事情はどうであれ、心身に悪いものは悪いのですから、キャンセルしよう、延期にしよう、場所を変えようという発想は決して「いいかげん」ではなく、人命を第一とした「臨機応変」です。そんなこんなで、東京から札幌への変更は、「勇気ある前進」だと言えるでしょう。

「身の丈」も体育会系

19年秋、英語の民間試験導入の延期が話題になりました。本来であれば、2020年4月からの大学入試で、日本英語検定協会やベネッセなど6つの民間の事業者による検定試験が行われる予定でした。ただこの民間試験については、以前から受験料が受験生負担であることと、首都圏や大都市と比べて地方では試験会場が少ないため、離島や田舎に住む受験生が不利だという声が相次いでいました。

もともとは、「読む」「書く」「聞く」「話す」といった英語の「コミュニケーション能力」を高めるために民間の試験に頼ったという面もあったようです。しかし冒頭の料金と会場の場所の問題から「平等性」にそぐわないのではないか、という疑問の声が大きくなっていたところ、10月末、BSフジの番組に出演していた萩生田光一文部科学大臣が「(受験生には)身の丈に合わせて頑張ってもらえれば」と発言していたことが分かり、これは文部科学大臣としての発言としていかがなものかと世間では騒ぎになりました。結果的に11月1日付けで、英語民間試験実施は延期となり、2024年のスタートが見込まれています。

このテレビ番組中での「身の丈」発言について、後に萩生田大臣は撤回して謝罪しましたが、なかなか闇の深い問題だと思います。

一般の社会に生きる人は日々「世の中は平等ではない」という現実と直面しながら生きています。生まれた家庭の状況によって、そもそも子どもの教育面での「スタート」が違う。習い事や塾、私立校など子の教育に「お金と時間」をかけられる家庭と、そうでない家庭。スタート時点で不利な状況にいる子どもの将来の選択肢が狭まっていることは、誰もが認めるところです。[*30]

ただし一般市民とは違い、萩生田氏は文部科学大臣であり、職務上そういった不公平をなくすべく動かなければいけない立場であるため、「不平等さを前提とした発言」を当たり前のようにしたことは、まずかったと言わざるを得ません。

討論の場では、普段考えている本音がついポロッと出るものですが、萩生田氏の場合もそういったところでしょう。だからこそ深刻なのです。萩生田氏は、各家庭の経済的な状況や住む場所によって不公平が生じるのではないかという懸念に対して、当初「それは、『あいつは予備校通っててずるい』というのと同じ」と答えています。そういった彼の説明を聞いても、「最初からスタート地点が違う子どもたちが日本にはたくさんいるから、その子たちのスタートが遅れないようになんとしてでも改革をしよう」という姿勢が全く見えてこないのです。

本人は後に、「私は教育格差の拡大を容認している議員ではなくて、どちらかといえば、経済的に困窮されている子どもたちの支援を今までもしてきたつもりでおりますので、そういう思いでのエールを送ったつもりだった」「いろいろ厳しい環境、いろいろ、それぞれ人によって異なるものがあるけれど、それに負けるな、という思いで発した言葉でございます」と答弁していますが、まさに「体育会系の悪い面」を直球で突きつけられた気持ちになりました。

先ほど述べたように、体育会系の発想が全て悪いとは思いませんし、むしろ精神論は自分自身を奮い立たせるために必要な場面もあると思います。なぜなら人間は弱いので、何かと自分自身に対して言い訳をしてしまいがちですが、自ら決めた目的に向かって「できるはず！」という強い信念を持って動いてこそ達成できるものも確かにあるからです。

ただし、国の若者の教育を考えるトップである文部科学大臣が「厳しい環境の中でも自分で頑張れば何とかなる」的な考え方であるのは、一種の責任逃れだと捉えられても仕方ない

＊30　参考URL：https://gendai.ismedia.jp/articles/-/68206?page=6

でしょう。萩生田氏のように立場上、国民を代表する人が「どんなに厳しい環境の中にあろうとも、上を目指すために大事なのは本人の意思だけが大事」という考えなのであれば、文部科学省などの公共機関は「教育の機会の不平等」について何の対策も練らなくて良いことになります。

「上に立つ者」（ここでは萩生田大臣）による体育会系思考の弊害はまさにそこにあります。なんでもかんでも個人のやる気が大事なんだという精神論に終始してしまっては、上の人は何もやらずに済んでしまいます。上の者による体育会系的な思想は、社会は全く変わる必要はないんだという「事なかれ主義」を助長してしまうことでもあります。

残念なことに、令和の時代になっても「上に立つ者」の中には、「本人が頑張れば良い」という体育会系的な精神論が今なお生きていることがあらわになりました。ただし、その問題点が各方面から挙げられ、騒動に発展したことは安心材料だと言えるでしょう。つまり、個人の努力に全てを帰する考え方に多くの人が賛同していないということが明らかになったのです。

そして、これが教育の平等について考えるきっかけになったことを思うと、この「延期」も長い目で見たら勇気ある前進なのかもしれません。ただし、今回の英語民間試験が「あるもの」という前提で勉強を頑張ってきた受験生には気の毒ですが…。

それにしてもこの「身の丈」という言葉は、自分の収入に見合わないブランドバッグを買ったりする時によく使われるものです。ところが、あろうことか若者の将来がかかった受験の文脈で時の大臣が使ってしまうとは、ニッポンの闇を感じます。

気合でもしつけでもなく犯罪

ニッポンでは運動系の部活でたびたび「体罰」が起きています。体罰問題は昔からあったものの、鹿児島県出水市の出水中央高校サッカー部で監督が部員を殴る姿がカメラで撮られＳＮＳなどに投稿されたことから分かるように、携帯電話の普及で問題が発覚しやすくなっています。

部活に限らず普段の授業中にも体罰は起きています。ただそのたびに、教師を批難する声ともに、「手におえない生徒を前にしては体罰も仕方ない」という声も多数あがります。ドイツも歴史的に見るともともと学校教育の現場で体罰が日常茶飯事でしたが、だからこそ、その反動もあり、１９７０年代前半にはドイツの多くの州で体罰は法律で禁止されました。保守的だとされているバイエルン州でも１９８３年に学校での体罰が禁止されました。そのため、現在のドイツの学校では体罰は「ゼロ」です。

筆者はバイエルン州で育ちましたが、筆者も学校で体罰を受けたことはもとより目撃したこともありません。もしも今の時代に学校で叩く先生がいたら、それは体罰ではなく暴力、つまりは犯罪という位置付けで扱われます。

また家庭内での子への体罰もドイツでは２０００年から禁止されています。だからといって家の中でこの手の問題がないわけではありませんが、法律で禁止されている以上「体罰にも良いところはある」というような意見は高齢者以外からはドイツではあまり聞かれなくなりました。

今、ニッポンで足りないのは体罰＝傷害＝暴力行為＝犯罪という認識です。その認識がないと、気合だ、勝つためだ、とかなんとかいって体罰は減らないのではないでしょうか。ニッポンではたとえば覚醒剤などの薬物に関しては「ダメ。ゼッタイ。」というキャッチフレーズをつけたりして乱用は認められません。体罰に関しても「ダメなものはダメ」を徹底すべきではないでしょうか。

そうは言っても、ニッポンでもこの体罰問題についても良い方向に進んできています。たとえば、東京都は全国初の「体罰禁止条例」を19年4月1日に施行しました。これは一部の保護者が「しつけ」と称する体罰はもとより暴言や精神的虐待も禁止するもので、虐待防止につなげるための条例です。

条例が施行される前年の3月には5歳の女児、船戸結愛《ゆあ》ちゃんが義理の父親に虐待された後に死亡した「目黒女児虐待死事件」がありました。結愛ちゃんが生前にノートに書いた「ママとパパにいわれなくってもしっかりとじぶんからもっともっときょうよりかあしたはできるようにするから　もうおねがい　ゆるして　ゆるしてください　おねがいします」が世間では涙を誘い、二度とこのような事件があってはならないという世論が出来上がりましたが、年が変わって1月には父親に暴力をふるわれた末死亡した千葉県野田市の栗原心愛さんの虐待死事件があり、そのむごさが世間で話題になりました。多くの虐待事件と共通するように、目黒の事件でも野田の事件でも父親は「これは虐待ではなくしつけだ」と言っていました。

親自身が本当にそう信じているのか言い訳として使っているのかは分かりませんが、虐待する親が必ず「しつけのためだった」と言っていることを見ると、「しつけのためであっても体罰は禁止」しているこの条例ができたことは良かったですし、むしろ遅過ぎたぐらいです。部活で「気合を入れる」ためにしても、家庭での「しつけ」にしても、それは体罰ではなく暴力。条例によって、そんな理解が世間にこれからもっと浸透すれば、「悪い体育会系」が徐々に社会からなくなっていくことでしょう。

やっと公立にもエアコンが

先ほど、ニッポンの学校や運動系の部活という場で時に「悪い体育会系の傾向」が見られると書きましたが、これも学校によってはだいぶ改善されています。たとえば、東京都世田谷区の東深沢中学校には根性論とは遠いところにある部活、その名も「体力向上部」があることが話題になりました。

これはいわゆる「勝つこと」や「競争」とは無縁の部活で、あくまで名前の通り「子どもたちの体力を向上させること」を目標とした新しいスタイルの部活です。ランニングをしたりラダー（はしご）などの道具を使った運動を平日の朝7時から45分間するというものです。

ニッポンの従来の「部活」を考えると、「それだけ？」と物足りなく感じるかもしれませんが、筆者のようにヨーロッパの学校で教育を受けた人からすると、平日の朝に早起きして運動していること自体に頭が下がります。

ドイツの学校だったら、体育の授業でもないのに朝からこういう運動系のものを学校でやるのは考えられないのですが、日本のこういう東深沢中学校のような部活は素晴らしいと思います。朝、身体を動かすのは良いことですし、何よりも「体力をつけること」が目的で、「根性だ」「気合だ」「チームワークだ」「優勝を目指せ」などといったキーワードと無縁であることが素晴らしい。こういう中学校が増えることに期待したいです。

かつてのニッポンでは、「子どもには有無を言わせず頑張らせる」のが普通でした。これはつい30年前のバブル期もそうで、「運動中に水は飲むな」「暑くてもへこたれるな」といったシゴキがニッポンの運動系部活におけるいわば「常識」でした。しかし、近年は暑いなか水を飲まなかったばかりに熱中症になり死亡するケースもニュースになっていますし、成人に関しては、水を飲まないことが脳梗塞を誘発する可能性があることも広く知れ渡っています。そういった事情を踏まえて近年のニッポンの教育現場では「こまめに水分補給を」というのが一般的となっています。

18年の夏の猛暑が続いた時期には、公立の小中学校の多くにエアコンがないことが話題になりました。日本の夏が暑いのは毎年のことなのに、教室にはエアコンを設置してこなかったのは、ニッポンの昔ながらの「天候や温度に左右されない身体の強い子になってほしい」という考え方が関係しているように思います。「風の子」の名のごとく、冬に薄着をさせたり、夏の暑い時も「子どもだから我慢」という教育方針が基本だった結果だと思います。

でも、19年9月１日の時点のエアコンの設置状況を見てみると、[*31] 補助金が出ている公立の小学校、中学校、高校、特別支援学級のうち、普通教室（全42万７１８７室）で33万４９３６室にエアコンが設置され、パーセンテージにすると設置率78・４％です。特別教室等（全41万３８４３室）では20万９０５５室にエアコンが設置され、設置率にして50・５％、前年比では６・５ポイント増です。体育館（全３万４４２９室）は３・２％（前年比１・２ポイント増）です。

ニッポンの夏は誰にとっても暑いですが、まれに「最近の子は弱過ぎる」「昔の教室にはエアコンなんてなかったけどみんな平気だった」「昔の子は暑くても倒れたりしなかった」などと言い出す人が残っているので、困ったものです。そりゃ昔は地球温暖化もなかったし、たとえ熱中症で死ぬ子がいても、今のように大々的に話題にならず、「身体が弱い子が死んだ」というようにあくまでも例外として処理されてしまっていた可能性が高いわけです。でも今は、まあ東京オリンピックのマラソンや競歩も別の札幌に移動になったし、〝昭和の夏の体育会系〟からニッポンは脱却しつつあって喜ばしい限りです。

＊31　https://www.nippon.com/ja/japan-data/h00557/

あとがき

『体育会系　日本を蝕む病』を最後まで読んでいただきありがとうございます。

本書ではニッポンの学校や会社、女性の立ち位置を中心に書いてまいりました。もっと私の出身国ドイツの話を盛り込もうかなとも考えましたが、「ドイツはこんなに素晴らしい！」という本にはしたくなく、あくまでも日本をベースにこの問題点を見ながらどうやったら生きやすくなるのかな、と思いながら書きました。個人もそうですが、組織が体育会系的な根性論から解放されれば、日本人は今よりだいぶ心が軽くなってのびのびと生きられるはずです。

根性論が好きな人はよくこう言います。

「日本はずっとそうやってきたのだから、もしそれをやめるとだらけてしまって大変なことになる」

でも、考えてみれば、体育会系的な精神論とは無縁な他のＧ７の国々だって、それなりにうまくまわっているわけです。だから、日本ばかりがマゾヒストのように「長い時間働かないと」とか「やっぱり子どもの部活に厳しさは必要」などとやってしまうのは百害あって一利なしです。片や発展途上国の人の身体の中から湧き出るようなハングリー精神、片や先進国の欧米人の「個人の幸せを優先した合理的な感覚」の狭間で、日本人だけが「辛い思いをした人だけが報われるんだ」なんて思ってみたところで、国際社会で上手な競争はできません。個人が疲労してしまっては元も子もないので、キーワードは「もっと気楽にいきましょう」ということです。これほど誰でもできるシンプルなことはありません！

世間で根性論が原因だと思われる事件が起きるたびに、いつか「体育会系」というテーマで本を書きたいと長年思ってきました。昔からよく雑誌などで見かけた土井ラブ平さんのコミカルなイラストが大好きで、「もし体育会系の本を書く時は、絶対に土井さんにイラストを描いてもらう！」と勝手に決めていました。ハードなスケジュールの中、土井さんが本書のイラストを快く引き受けてくださったことに深く感謝いたします。

最後に、一つ反省です。体育会系はやめて、もっと休息を取りましょうと書いておきながら、この本の編集のために光文社の古川遊也さんのお正月休みを返上させてしまいました。私のテーマに興味を持ってくださり、執筆の機会を与えてくださった古川遊也さんに深く感謝申し上げます。

そして、私の取材でご自身のエピソードを快く語ってくださった皆様にも心より感謝申し上げます。

サンドラ・ヘフェリン

サンドラ・ヘフェリン

ドイツ・ミュンヘン出身。日本歴22年。日本語とドイツ語の両方が母国語。自身が日独ハーフであることから、「ハーフはナニジン？」、「ハーフとバイリンガル教育」、「ハーフと日本のいじめ問題」など、「多文化共生」をテーマに執筆活動をしている。著書に『ハーフが美人なんて妄想ですから‼』（中公新書ラクレ）、『満員電車は観光地⁉』（原作、漫画・流水りんこ／KKベストセラーズ）、『爆笑！クールジャパン』（原作、漫画・片桐了／アスコム）など。ホームページ「ハーフを考えよう！」http://half-sandra.com/

体育会系《たいいくかいけい》 日本《にほん》を蝕《むしば》む病《やまい》

2020年2月29日初版1刷発行
2020年3月20日　2刷発行

著　者 ── サンドラ・ヘフェリン
発行者 ── 田邉浩司
装　幀 ── アラン・チャン
印刷所 ── 堀内印刷
製本所 ── 国宝社
発行所 ── 株式会社光文社
東京都文京区音羽1-16-6(〒112-8011)
https://www.kobunsha.com/
電　話 ── 編集部03(5395)8289 書籍販売部03(5395)8116
業務部03(5395)8125
メール ── sinsyo@kobunsha.com

 ISBN 978-4-334-04458-9

1047
御社の新規事業はなぜ失敗するのか？
企業発イノベーションの科学
田所雅之

「3階建て組織」を実装できれば、日本企業はイノベーティブに生まれ変わる――ベストセラー『起業の科学』の著者が大企業に舞台を移し、新規事業を科学する！

978-4-334-04457-2

1048
首都圏大予測
これから伸びるのはクリエイティブ・サバーブだ！
三浦展

本当に人を集める力のある街はどこか？ 首都圏在住者への大規模調査とフィールドワークを通じてわかった、東京郊外の趨勢を忖度なしの徹底予測。

978-4-334-04451-0

1049
体育会系
日本を蝕む病
サンドラ・ヘフェリン

パワハラ・忖度・過労自殺・組体操事故・#KuToo…不合理な同調圧力は学校から始まる。愛する日本が先進国であるために、負の連鎖を破る特効薬を日独ハーフの作家が緊急提言！

978-4-334-04458-9

1050
ONE《ワン》 TEAM《チーム》のスクラム
日本代表はどう強くなったのか？
増補改訂版『スクラム』
松瀬学

2019年の流行語大賞にも輝いた「ONE TEAM」。その象徴はスクラムだ。長谷川慎コーチ、堀江翔太、稲垣啓太、具智元が明かす、フィジカル勝負、心理戦、頭脳戦の攻防。

978-4-334-04460-2

1051
段落論
日本語の「わかりやすさ」の決め手
石黒圭

段落を意識すると、文章力はもちろん、読む力や話す力までも伸ばすことができる――思考をわかりやすく整理してくれる「段落」の可能性を、日本語研究の第一人者が明らかにする。

978-4-334-04461-9